L'ÉVALUATION DES APPRENTISSAGES EN CLASSE

théorie et pratique

Roland Louis
Avec la collaboration de
Huguette Bernard

CHENELIÈRE ÉDUCATION

L'ÉVALUATION DES APPRENTISSAGES EN CLASSE

théorie et pratique

Roland Louis
Avec la collaboration de Huguette Bernard

Beauchemin

CHENELIÈRE ÉDUCATION

5800, rue Saint-Denis, bureau 900
Montréal (Québec) H2S 3L5 Canada
Téléphone : 514 273-1066
Télécopieur : 514 276-0324 ou 1 800 814-0324
info@cheneliere.ca

Bien que le masculin soit généralement utilisé dans le texte, les mots relatifs aux personnes désignent aussi bien les femmes que les hommes.

ISBN 2-7616-2764-4

Dépôt légal : 4e trimestre 2004
Bibliothèque nationale du Québec
Bibliothèque nationale du Canada

Imprimé au Canada
5 6 7 8 9 M 22 21 20 19 18

Ce projet est financé en partie par le gouvernement du Canada | Canada

Avant-propos

Après plusieurs années d'enseignement à l'université et de pratique dans le milieu scolaire en évaluation des apprentissages des élèves, nous avons voulu rédiger un livre qui réponde davantage à la réalité scolaire actuelle. Selon nous, il existe peu de livres qui traitent de l'ensemble des activités d'évaluation des apprentissages dans une perspective adaptée à la situation de la classe.

Si certains contenus ne sont pas traités, c'est parce que d'autres l'ont fait, et bien fait, avant nous. Par exemple, le ministère de l'Éducation du Québec met à la disposition des enseignants des documents fort complets et très pertinents. Par ailleurs, nous avons inclus des sujets qui n'ont pas encore été abordés dans la formation des enseignants en évaluation, comme l'évaluation en situation authentique ou, encore, l'éthique en situation d'évaluation.

Pendant la rédaction de cet ouvrage, nous avons tenté de garder à l'esprit la clientèle à laquelle il s'adresse tout particulièrement, c'est-à-dire les futurs enseignants et les enseignants en exercice qui en sont à une première formation en évaluation des apprentissages.

Nous avons voulu orienter ce livre principalement vers les nouvelles approches d'évaluation des apprentissages même si celles-ci n'ont pas totalement cours dans les écoles, sans négliger pour autant l'étude des pratiques actuelles. C'est en jetant un regard vers l'avenir que nous avons construit ce livre. Notre fonction n'est-elle pas de former les enseignants de demain ?

Dans la structure du livre, nous avons privilégié une approche faisant ressortir beaucoup plus la dimension « évaluation » que celle de « mesure », celle-ci n'étant pour nous qu'un moyen permettant de rechercher l'information nécessaire à l'évaluation.

Ce livre traite à la fois des aspects théorique et pratique. Il comprend des exemples qui ont été pour la plupart expérimentés par les étudiants (futurs enseignants et enseignants en exercice) dans le cadre des cours en évaluation des apprentissages que nous donnons. Chaque chapitre se termine par une rubrique « Mise en pratique » qui invite le lecteur à utiliser les concepts traités et les exemples donnés afin de vérifier ses connaissances pratiques. Les mises en pratique sont généralement des études de cas qui demandent de la réflexion de la part du lecteur et pour lesquelles il n'y a pas nécessairement une bonne réponse officielle. On ne trouvera pas dans ce livre un solutionnaire d'exercices.

Nous croyons sincèrement que cet ouvrage répondra aux attentes des personnes qui s'intéressent à l'évaluation des apprentissages dans le contexte de la classe. Cet instrument de formation pourra également être utilisé par les enseignants du primaire et du secondaire, de même que par des formateurs d'enseignants, comme livre de référence. Avant d'être publié, ce livre a fait l'objet d'expérimentation auprès des futurs enseignants et des enseignants d'expérience inscrits aux cours en évaluation des apprentissages à l'Université de Sherbrooke et à l'Université de Montréal. Il importe de préciser que ce livre est le fruit d'un travail de collaboration et que, sans cela, il n'aurait pas pu être publié.

Roland Louis, Université de Sherbrooke
Huguette Bernard, Université de Montréal

Table des matières

Chapitre 6

L'instrumentation et ses fondements dans les approches traditionnelles

Chapitre 7

L'évaluation en situation authentique 77

Chapitre 8

La régulation, la rétroaction et l'autoévaluation 107

Chapitre 11

L'enseignement et l'évaluation des habiletés sociales ... 147

Chapitre 12

Statistiques utiles à l'enseignant ... 156

Chapitre 13

Le traitement des résultats de l'évaluation ... 168

Chapitre 1

L'évaluation des apprentissages en classe

Quand on observe attentivement le fonctionnement d'une classe, on se rend compte que l'enseignant doit prendre de multiples décisions pour gérer sa classe et s'assurer que ses interventions ont les effets attendus sur l'apprentissage des élèves. Ces décisions se prennent dans des temps relativement courts et ont des conséquences importantes sur l'apprentissage des élèves et sur le déroulement de l'enseignement. On constate aussi que le groupe-classe est un milieu social dans lequel les élèves ont à la fois des attentes communes et des préoccupations particulières souvent assez diversifiées.

Compte tenu de ce contexte, il est évident que l'évaluation constitue une activité omniprésente dans la classe. Dans la mesure où nous considérons l'enseignant comme un preneur de décisions efficaces et efficientes dans un contexte social en mouvement (interactions entre les acteurs, interactions avec le contenu d'apprentissage, interactions des acteurs avec les règles de fonctionnement de la classe ou de l'institution), l'évaluation devient alors une activité importante.

1 L'évaluation en classe : définition et étapes

L'évaluation en classe est un processus formel ou informel qui consiste à recueillir des informations sur l'apprentissage réalisé par l'élève, et à les interpréter en vue de prendre les meilleures décisions possible sur la gestion de la classe, la qualité de l'enseignement fourni aux élèves et le niveau d'apprentissage de l'élève.

L'évaluation en classe respecte généralement les étapes suivantes :

- l'identification du but de l'évaluation et du type d'information à rechercher ;
- la collecte de l'information ;
- l'interprétation de l'information ;
- le jugement par rapport à la justesse et à la pertinence de l'information ;
- la prise de décisions appropriées.

Analysons les étapes que nous venons d'identifier afin de bien comprendre la démarche d'évaluation.

1.1 L'identification du but de l'évaluation et du type d'information à rechercher

L'évaluation peut avoir plusieurs buts. Il est important que l'enseignant précise pour lui-même (et pour les élèves, lorsque c'est nécessaire) le but visé par la démarche d'évaluation qu'il entreprend. Le type d'information recherchée peut varier selon le but de l'évaluation et aussi selon la décision que devra prendre l'enseignant. Par exemple, s'il s'agit pour l'enseignant d'apprécier le rendement scolaire des élèves (but de l'évaluation), l'information recherchée s'obtiendra par l'administration d'un instrument de mesure (test, récitation, examen, travail pratique, etc.). S'il s'agit plutôt de fournir de la rétroaction aux élèves et de stimuler leur motivation à la tâche, l'information recherchée se limitera à l'observation formelle ou informelle des élèves durant leur apprentissage.

1.2 La collecte de l'information

Nous entendons par collecte de l'information la mise en place par l'enseignant de moyens lui permettant d'obtenir l'information dont il a besoin. Dans le cas de l'utilisation d'un instrument de mesure, l'enseignant devra prévoir les questions à poser aux élèves, la façon de traiter leurs réponses et la méthode nécessaire à la compilation des résultats de chaque élève et de l'ensemble de la classe.

1.3 L'interprétation de l'information

Souvent, l'information obtenue n'est pas directement interprétable. Que signifie le score d'un élève qui a donné 15 bonnes réponses sur une possibilité de 20 ? Quel renseignement nous donne un élève observé en train de jouer avec son crayon alors qu'il doit faire les exercices demandés ? L'enseignant doit donc, dans ces cas, procéder à une interprétation de l'information obtenue.

1.4 Le jugement par rapport à la justesse et à la pertinence de l'information

Avant de prendre les décisions découlant de l'information obtenue, l'enseignant doit généralement juger cette information pour en déterminer la justesse et la pertinence par rapport à la décision à prendre. L'information obtenue corrobore-t-elle d'autres informations disponibles ? Quel est le rôle du contexte sur la qualité de l'information obtenue ? En quoi l'information est-elle exempte de biais ? L'information est-elle vraiment pertinente compte tenu de la décision à prendre ? Ce sont autant de questions qu'il faut avoir en tête au moment de juger de la qualité de l'information obtenue.

1.5 La prise de décisions appropriées

L'évaluation n'est pas une fin en soi. C'est une activité qui vise à prendre les meilleures décisions possible. Les recherches sont unanimes à considérer l'enseignant comme un preneur de décisions. Les décisions d'un enseignant peuvent s'analyser selon trois phases de l'enseignement : la phase préactive, la phase interactive et la phase postactive.

Dans la *phase préactive,* celle qui concerne la planification des leçons, l'enseignant prend plusieurs décisions, liées au choix de l'objectif de la leçon, du matériel didactique à utiliser, de la façon d'organiser la classe et des moyens de vérification des apprentissages. Ces décisions s'appuient sur un ensemble d'informations que possède l'enseignant : caractéristiques des élèves, performance de la classe au cours de la dernière leçon, importance des notions retenues, etc.

Des auteurs tels que Clark et Peterson (1986) ont constaté que les enseignants, durant le déroulement d'une leçon, prennent en moyenne une décision *interactive* toutes les deux minutes. Il s'agit de décisions portant sur la modification de la planification et sur la meilleure façon d'intervenir auprès d'un élève qui dérange ou qui pose une question sans trop s'écarter de l'objectif visé par la leçon. D'autres décisions interactives portent sur la qualité de la réponse donnée par un élève, sur la compréhension des élèves de la classe, sur le type et le genre de la prochaine question à leur poser, sur l'attention des élèves aux explications ou à l'exposé (Doyle, 1986), sur la modification d'un travail en cours ou de la façon de bien gérer le plus rapidement possible une situation imprévisible.

Dans la *phase postactive*, les décisions peuvent concerner l'évaluation et l'ajustement de l'enseignement qui vient d'être donné, du choix des prochaines leçons, de la mise en place de moyens de rattrapage pour les élèves éprouvant des difficultés d'apprentissage ou de comportement. Il peut s'agir aussi des recommandations de classement, de promotion ou d'émission du bulletin scolaire.

2 Les buts de l'évaluation en classe

L'évaluation des apprentissages en classe permet la poursuite de plusieurs buts :

- assurer et maintenir l'équilibre social dans la classe ;
- aider à découvrir, à comprendre et à trouver des solutions aux difficultés d'apprentissage des élèves ;
- fournir une rétroaction aux élèves et stimuler leur motivation à apprendre ;
- apprécier le rendement scolaire des élèves ;
- faciliter le regroupement des élèves dans la classe en fonction de tâches bien précises ;
- faciliter la planification de l'enseignement et le retour sur cette dernière.

3 Les fonctions de l'évaluation en contexte de classe

Dans le contexte de classe, l'évaluation ne peut se limiter qu'à l'administration d'un examen ou qu'à la correction de devoirs ou d'exercices dans l'unique but de noter les élèves. Nous devons entrevoir l'évaluation comme une activité qui fait partie de l'enseignement et qui se déroule soit de façon informelle, soit de façon formelle. Pour mieux cerner les divers rôles que jouera l'évaluation en classe, il faut distinguer les types de décisions que l'enseignant sera amené à prendre.

Un premier ensemble de décisions que tout enseignant doit prendre concerne l'*organisation le plus efficace possible de sa classe* compte tenu des élèves qui composent son groupe-classe : caractéristiques des élèves, acquis antérieurs des élèves, etc. Ces décisions sont prises par l'enseignant et ne concernent que lui. Par exemple, dans la formation d'équipes de travail, comment en choisir les membres pour qu'elles soient productives ? Comment gérer les remarques ou les commentaires dérangeants de Pierre ? Bien sûr, de telles décisions ont un certain impact sur les élèves, mais elles sont gérées, contrôlées par l'enseignant. Il peut aussi les modifier au besoin.

Un deuxième ensemble de décisions porte sur l'*efficacité de ses activités d'enseignement* et sur l'*amélioration de l'apprentissage de chacun de ses élèves.* Ces décisions sont prises par l'enseignant et concernent principalement l'enseignant et les élèves, à l'intérieur de la classe. Par exemple, si la notion de pourcentage est mal assimilée par un grand nombre d'élèves, comment s'y prendre autrement pour la faire comprendre ? L'enseignant doit-il prévoir des moments de rattrapage pour les élèves qui éprouvent des difficultés dans sa matière ou de comportement en classe ? Ces décisions sont gérées, contrôlées par l'enseignant. Il peut les modifier selon le besoin.

Enfin, un troisième ensemble de décisions porte sur la *promotion* et le *classement des élèves.* Ces décisions, en principe, ne sont pas gérées par l'enseignant, principalement en raison de leur impact sur l'organisation de l'école et sur la future carrière scolaire de l'élève. Par exemple, l'enseignant doit, pour ce type d'évaluation, respecter les normes administratives adoptées par l'école en la matière : le nombre de rapports d'évaluation, leur fréquence, le moyen de communication (bulletin), etc. Il doit aussi tenir compte des méthodes d'évaluation arrêtées par l'école : seuil de réussite, composition de la note, forme d'expression des résultats des élèves (note chiffrée, note littérale), etc. C'est bien l'enseignant qui conduit cette évaluation. Cependant, les décisions qui en découlent relèvent plutôt des administrateurs du système éducatif. Dans le cadre de cette évaluation, l'enseignant participe aux décisions en faisant ses recommandations au preneur de décisions qui, en l'occurrence, est généralement le directeur de l'établissement scolaire.

Ainsi, l'évaluation en contexte de classe pourra jouer les trois fonctions suivantes :

- une fonction de gestion du groupe-classe ;
- une fonction d'aide à l'enseignement et à l'apprentissage ;
- une fonction administrative.

Bien sûr, ces trois fonctions ne sont pas mutuellement exclusives. Cependant, leur identification permet de mieux comprendre l'évaluation et de reconnaître que la conduite de l'évaluation peut différer selon les décisions à prendre et selon leur portée.

3.1 La fonction de gestion du groupe-classe

Pour remplir cette fonction, l'évaluation se base sur la recherche des informations au début de l'année scolaire, afin de connaître les caractéristiques des élèves et du groupe-classe. Elle se poursuit durant toute l'année pour aider l'enseignant à mieux gérer sa classe. Cette forme d'évaluation touche les dyades suivantes : élèves–élèves, maître–élèves, élèves–maître.

Les caractéristiques de l'évaluation se rapportant à cette fonction concernent le rôle et le moment de l'évaluation, le type d'information recherchée, la méthode de collecte des informations et la consignation de ces dernières, l'importance qu'on accorde à l'évaluation pour la gestion de la classe, les problèmes de validité et les moyens de les contourner.

Le *rôle de l'évaluation* est de permettre à l'enseignant d'avoir une connaissance pratique des caractéristiques de chaque élève et de l'ensemble des élèves qui forment le groupe-classe afin de mieux gérer la classe. On entend souvent les enseignants (surtout les enseignants novices) dire qu'il est préférable de ne rien savoir sur les élèves afin d'éviter d'avoir des préjugés contre certains d'entre eux. Par contre, entrer dans une classe pour enseigner sans connaître les caractéristiques des élèves est risqué. Car, dans une classe, l'enseignant, comme nous venons de le souligner, doit prendre plusieurs décisions rapides et gérer en même temps l'imprévisible et la progression de la leçon. Il est donc difficile de prendre les meilleures décisions quand on ne possède pas toutes les informations. Nous croyons qu'il serait plus opportun d'avoir de l'information sur les caractéristiques des élèves tout en prenant les moyens d'éviter les biais de préjugé.

Le *moment* privilégié pour effectuer cette évaluation se situe avant le début des classes et durant les premières semaines de classe.

Cette évaluation permet à l'enseignant de recueillir des informations afin de mieux connaître ses élèves. Elle peut fournir une première appréciation des habiletés cognitives, socioaffectives et psychomotrices. Cette collecte d'informations se fait généralement de façon informelle : conversation avec d'autres enseignants, consultation du dossier scolaire des élèves, connaissance des parents de l'élève, etc. Puisque, très souvent, les informations sont consignées dans la tête de l'enseignant, ce type d'évaluation risque d'être influencé par de multiples biais.

Quelle est l'importance de cette évaluation pour la gestion de la classe? Cette forme d'évaluation, nommée *sizing up evaluation* par Airasian (1991), est nécessaire dans la mesure où elle fournit rapidement un ensemble d'informations permettant une meilleure interaction sociale dans le contexte de la classe. Selon les recherches, les premières impressions que se fait l'enseignant au sujet des élèves tendent à demeurer stables (Brophy et Good, 1974). Les perceptions que l'enseignant a des élèves influencent la façon dont il traitera les élèves et conditionnent le choix du matériel didactique et de l'évaluation dite administrative. Il importe donc de souligner les limites de cette forme d'évaluation et de fournir aux professeurs des moyens appropriés pour mieux exercer cette forme d'évaluation.

Les *problèmes de validité liés à cette forme d'évaluation* peuvent être nombreux puisque celle-ci est affectée par certains biais :

- le biais apporté par l'enseignant quand l'information est obtenue par ouï-dire ou dans des situations hors contexte ;
- la première impression, qui peut être non fondée, influencera les perceptions futures ;
- les attentes de l'enseignant quant aux caractéristiques que devrait avoir un élève influenceront sa perception initiale.

Certaines erreurs logiques peuvent aussi affecter la qualité de cette évaluation :

- l'enseignant peut juger un élève à partir d'informations non pertinentes. Par exemple, il observe le manque d'attention chez l'élève et conclut à une difficulté d'apprentissage.
- l'enseignant croit qu'une tâche évalue un aspect particulier alors que c'est autre chose qui est évalué.

Enfin, des problèmes de fiabilité peuvent être éprouvés dans cette forme d'évaluation :

- l'échantillon de comportements observés pour former le jugement est généralement très petit ;
- le comportement observé dans un contexte donné est souvent étendu à un contexte différent. Prenons le cas d'un enseignant qui observe, dans la cour de récréation, un élève en train d'agacer d'autres élèves. Si l'enseignant conclut que cet élève aura des comportements dérangeants en classe, la probabilité que la conclusion soit bonne est aussi grande que la probabilité qu'elle soit fausse.

Quels sont les moyens appropriés pour diminuer les inconvénients déterminés ? Cette évaluation, comme nous l'avons souligné, se fait de façon informelle et aide à la gestion de la classe. Cependant, il faut être conscient qu'elle risque de mener à de mauvaises décisions et même de nuire à la conduite de la classe. Elle peut porter préjudice aux élèves et contrevenir aux règles de l'éthique professionnelle. Airasian a suggéré quelques moyens pour diminuer les inconvénients de cette forme d'évaluation.

- Prendre conscience que cette forme d'évaluation est fréquente dans le contexte de la classe et vouloir l'améliorer.
- Considérer les premières impressions ou perceptions comme des hypothèses à vérifier. Ces hypothèses peuvent être confirmées ou rejetées par des informations additionnelles.
- Prendre l'habitude de s'appuyer sur la répétition, dans un même contexte, du comportement observé avant de juger l'élève.
- Faire les observations sur une période relativement longue avant de préciser le jugement.

- Recourir à l'observation directe du comportement au lieu de l'inférer à partir de comportements ou de caractéristiques secondaires.
- Dans la mesure du possible, essayer de compléter les observations informelles par des observations formelles et structurées (tests, jeux de rôles, etc.).
- Déterminer dans quelle mesure les différentes sources d'informations aboutiraient à une même conclusion.

3.2 La fonction d'aide à l'enseignement et à l'apprentissage

Pour remplir cette fonction, l'évaluation doit s'intégrer au déroulement de la leçon et porter sur les décisions de revoir une notion, de stimuler l'élève à faire mieux, de revoir le choix de matériel didactique, de modifier le rythme de l'enseignement, d'organiser des moments d'échange et de rattrapage pour certains élèves qui éprouvent des difficultés scolaires.

Les informations sont recueillies par le questionnement continu de l'enseignant et par l'observation constante des activités d'apprentissage des élèves.

Cette évaluation fait une grande place à la rétroaction à donner à l'élève, ce qui implique une bonne connaissance des processus cognitifs et métacognitifs utilisés par les élèves dans leur processus d'apprentissage.

Cette évaluation porte aussi sur l'ajustement continu, immédiat et médiat de l'enseignement en fonction de la rétroaction des élèves. Nous reviendrons sur cette fonction de l'évaluation au chapitre traitant de la régulation et de la rétroaction.

3.3 La fonction administrative

Comme employé d'un système bureaucratique, l'enseignant a la responsabilité de formuler des recommandations quant à la promotion et au classement des élèves qui lui sont confiés. Il doit rendre compte, à des personnes externes à sa classe, des apprentissages réalisés par ses élèves.

La consignation des notes au bulletin, l'identification des élèves nécessitant des mesures d'appui pédagogique (rattrapage ou cours spéciaux) ou des services orthopédagogiques et psychologiques, le classement des élèves en classe spéciale, la rencontre avec les parents à l'occasion de l'émission des bulletins et la participation de l'enseignant aux recommandations de promotion ou d'étude de cas, de même qu'aux examens officiels de l'organisme scolaire ou du ministère de l'Éducation du Québec (MEQ) sont autant de gestes administratifs commandés par l'évaluation administrative. Les décisions qui découlent de cette fonction de l'évaluation sont importantes et exigent un dispositif de collecte d'informations fiable et valide.

Mise en pratique

Anne Machère a été engagée pour enseigner en sixième année à l'école Prévert. Depuis qu'elle a terminé ses études en enseignement, il y a trois ans, Anne n'a fait que de la suppléance, un ou deux jours par semaine. Elle se souviendra toujours de ce lundi 15 mai à 11 h, en décrochant le téléphone elle a aussi décroché un emploi. Elle entend encore aujourd'hui, le 28 août, trois mois après cet événement, la voix du directeur de l'école qui lui annonçait que sa candidature avait été retenue par le comité de sélection et qu'elle serait affectée à la classe de sixième année pour la prochaine année scolaire.

C'est avec une joie intense et aussi une crainte grandissante qu'Anne se retrouve à l'école Prévert ce 28 août, première journée pédagogique au cours de laquelle les enseignants doivent préparer la rentrée des élèves qui est prévue dans deux jours. Anne avait hâte que les vacances d'été se terminent pour pouvoir rencontrer les enseignants de cette école afin de poser les questions qui lui trottaient dans la tête et qui l'avaient préoccupée durant une bonne partie de l'été.

Anne a beaucoup de questions à poser. Elle a besoin d'informations pour mieux préparer sa classe. Cependant, elle sait que les autres enseignants seront très occupés, que le directeur de l'école et la secrétaire le seront tout autant. Il faut qu'elle organise bien ses questions pour ne pas faire perdre de temps aux autres tout en obtenant suffisamment d'informations pour préparer l'organisation de sa classe et ses premières activités d'enseignement.

Anne vous demande de l'aider à cerner les informations les plus importantes dont elle a besoin pour commencer à préparer sa classe.

a) Dans un premier temps, dressez individuellement, à l'intention d'Anne, une liste d'informations que vous jugez importantes.

b) Dans un second temps, regroupez-vous en équipes de trois ou quatre étudiants pour :
- justifier la valeur des informations retenues;
- faire ressortir la fonction de gestion de classe des informations;
- établir les avantages et les inconvénients de ces informations.

Chapitre 2

L'évaluation et la motivation

On reconnaît généralement que la motivation des élèves est un élément important qui contribue à leur réussite scolaire. Cependant, on semble souvent attribuer la motivation ou l'absence de motivation uniquement à des caractéristiques liées à la personnalité de l'élève. On ne prend pas nécessairement en compte des facteurs liés au contexte dans lequel se déroule l'apprentissage. Parmi ces facteurs, nous portons ici notre attention sur l'évaluation, la structure de la classe et le style d'enseignement adopté par l'enseignant. Ces trois facteurs influencent de façon non négligeable la motivation de l'élève et particulièrement son engagement à entreprendre une tâche d'apprentissage, à persévérer et à la réussir. Dans ce chapitre, nous étudions les déterminants personnels de la motivation, le contexte de la classe et leurs liens par rapport à la motivation.

1 Les déterminants personnels de la motivation

Les recherches semblent démontrer que la motivation de l'élève à apprendre dépend beaucoup de la façon dont il s'engage dans la réalisation des tâches qu'exige de lui une matière scolaire donnée (français, mathématique, histoire, etc.). La motivation n'est cependant pas un concept simple à définir. Plusieurs auteurs s'inspirant du sociocognitivisme (Bandura, 1986; Pintrich *et al.*, 1993; Viau, 1994) croient que la motivation est fonction de l'activité que l'individu doit accomplir et qu'elle est déterminée par un ensemble de perceptions que l'élève développe par rapport à une activité donnée. Ces auteurs distinguent :

- la perception que l'élève a de la valeur de l'activité, c'est-à-dire son utilité, son importance et les buts qu'il se fixe par rapport à cette activité;
- la perception que l'élève a de sa probabilité de réussir l'activité en question;
- la perception du contrôle que l'élève peut exercer sur le déroulement de l'activité.

Bien sûr, ces trois perceptions ne sont pas les seuls facteurs qui expliquent la motivation de l'élève par rapport à une activité. D'autres facteurs, comme le style d'enseignement et la structure de la classe, y contribuent aussi de façon importante.

Analysons, dans un premier temps, chacune des perceptions pour faire ressortir des liens possibles qu'elles entretiennent avec l'évaluation.

1.1 L'évaluation et la perception par l'élève de la valeur de l'activité

Nul doute que pour l'élève l'évaluation est une activité importante pour plusieurs raisons, qui, souvent, n'ont pas nécessairement un rapport direct avec l'apprentissage. Puisque c'est l'évaluation qui décidera s'il peut accéder à la classe supérieure ou s'il doit redoubler, l'élève y accorde une grande importance. Le problème peut se poser en termes d'utilité dans la mesure où les moyens choisis pour conduire l'évaluation dénaturent la visée d'un apprentissage en profondeur attendu des élèves. Il serait, par exemple, difficile de prouver à l'élève du primaire l'utilité d'une évaluation qui repose sur les données d'un examen au cours duquel on lui demande de *déterminer la valeur de position du chiffre 9 dans 890.* On rencontre souvent le cas où des élèves consacrent beaucoup de temps, la veille d'un examen, pour bien s'y préparer (importance de l'évaluation) tout en sachant qu'ils vont tout oublier après l'examen (utilité de l'activité). Une enquête conduite par Norman et Harris (1981) auprès d'adolescents rapporte que 60 % des élèves interrogés déclarent qu'ils étudient pour réussir l'examen plutôt que pour vraiment apprendre. On peut comprendre pourquoi certains enseignants utilisent le spectre de l'évaluation comme moyen de signifier aux élèves l'utilité et l'importance de l'apprentissage attendu : « Je vous demande de bien étudier le chapitre 2, car demain il y aura un examen dont les notes vont compter pour le prochain bulletin. »

Soulignons que la perception de la valeur d'une activité est influencée par les buts que poursuit l'élève en regard de l'activité. Les auteurs qui ont traité de la motivation distinguent deux types de buts : des buts de récompense (récompense matérielle ou approbation sociale) et des buts d'apprentissage. Par exemple, l'élève qui entreprend une activité pour obtenir la meilleure note, pour faire plaisir à ses parents ou pour être bien perçu par ses pairs ou par l'enseignant poursuit des buts de récompense. Quant à l'élève qui s'engage dans une activité pour approfondir ses connaissances, pour relever un défi personnel ou pour se préparer à bien maîtriser le domaine d'études, il poursuit des buts d'apprentissage. Les chercheurs Pintrich et Schrauben (1992) ont mis en lumière que les élèves qui poursuivent des buts de récompense font généralement des apprentissages de surface et sont plus susceptibles d'éprouver du découragement lorsqu'ils font face à un échec, d'abandonner la tâche et de manifester des attitudes négatives vis-à-vis de l'école. Par contre, ceux qui poursuivent des buts d'apprentissage sont portés à faire des apprentissages en profondeur et sont plus persistants lorsqu'ils font face à un échec.

Dans la mesure où le contexte de classe tend à privilégier des buts de récompense, l'évaluation risque d'influencer négativement la motivation de certains élèves. Il faut souligner que la nature de la tâche d'évaluation peut influencer les buts que poursuit l'élève. Selon Pintrich *et al.* (1993), l'élève a de meilleures chances d'adopter des buts d'apprentissage lorsque la tâche est authentique, signifiante pour lui, et qu'elle le pousse à relever un défi intéressant.

1.2 L'évaluation et la perception par l'élève de sa probabilité de réussir

La recherche a mis en évidence que, lorsque l'élève perçoit qu'il peut réussir une tâche, il est plus enclin à s'y engager. Lorsqu'il juge que la probabilité de réussite est très faible, son engagement peut en souffrir. La meilleure façon de s'assurer que l'élève aborde une tâche avec une forte probabilité de succès constitue à :

- lui présenter des tâches de niveaux de difficulté gradués en fonction de ses apprentissages préalables ;
- lui offrir des possibilités de rétroaction durant l'exécution de la tâche, et surtout à des étapes où la tâche peut dépasser son niveau d'apprentissage actuel.

Depuis toujours, l'évaluation des élèves a su tenir compte de ces considérations. Par exemple, dans un examen, il est recommandé que les premières questions soient les plus faciles afin d'inciter l'élève à répondre aux questions suivantes. Cependant, on a toujours reproché à l'évaluation de créer, dans le contexte d'un examen, des moments qui dénaturent la situation pédagogique. Par exemple, au cours d'un examen, l'enseignant ne peut pas donner la rétroaction utile à l'élève et ne peut pas non plus lui donner l'occasion d'essayer de nouveau, deux éléments très importants qui influencent la perception de la possibilité de réussir la tâche et, en conséquence, la persévérance de l'élève. Il n'est pas rare que l'enseignant se rende compte après l'examen que certaines questions posées exigeaient des réponses dépassant le niveau d'habileté des élèves. Cette constatation arrivant après coup, il est certainement possible que la perception de la probabilité de réussir de certains élèves soit négativement affectée.

1.3 L'évaluation et la perception de la contrôlabilité

Selon Viau (1994, page 64), la perception de la contrôlabilité est le jugement que porte l'élève sur le degré de contrôle qu'il peut exercer sur le déroulement et les conséquences d'une activité pédagogique. Viau donne l'exemple suivant.

> « [...] un élève qui estime que la démarche qu'il utilise lui permet de résoudre un problème de façon satisfaisante, a probablement la perception qu'il contrôle bien la situation (perception de contrôlabilité élevée). Au contraire, un élève qui se sent obligé de suivre une démarche imposée sans être convaincu que celle-ci l'amène à réussir, tend à percevoir qu'il ne contrôle pas la situation (perception de la contrôlabilité faible) ».

Dans le cas de l'évaluation, l'élève est souvent placé devant une tâche à réaliser pour laquelle il se sent obligé de présenter une solution qui correspond aux attentes de l'enseignant alors qu'il en a une qui lui semble plus intéressante. Nous verrons plus loin l'influence qu'exerce le style de gestion de classe de l'enseignant sur la perception par les élèves de la contrôlabilité d'une activité. Retenons qu'une telle situation risque d'amener l'élève à éviter d'explorer des solutions originales de peur d'être pénalisé par l'évaluation. La réponse attendue par l'enseignant devient celle qu'il faut trouver.

De plus, dans certaines situations d'évaluation, le temps dont a besoin l'élève pour réaliser efficacement une tâche peut entraîner chez ce dernier une perception de la contrôlabilité faible. Prenons l'exemple d'un élève qui doit produire une composition écrite au cours des deux heures prévues pour l'examen. Or, l'élève sait bien que, dans la réalité, la réalisation efficace d'une production écrite prend plus de temps que ce qu'on lui accorde. Faute de temps, l'élève va probablement se limiter à ce qui est acceptable pour l'enseignant.

Nous venons de voir les principaux déterminants personnels de la motivation. Des facteurs liés au contexte de la classe influencent aussi la motivation de l'élève. C'est ce que nous étudierons dans les paragraphes qui suivent.

2 Le contexte de classe, l'évaluation et la motivation

Pour cerner le rôle du contexte de classe par rapport à l'évaluation et à la motivation de l'élève, portons notre attention sur la façon dont la classe est structurée et sur le style de gestion de classe que préconise l'enseignant.

2.1 La structure de la classe

Dans la mesure où l'on reconnaît que la classe constitue un système social, la façon dont l'enseignant structure sa classe peut avoir des incidences importantes sur l'évaluation qui, à son tour, peut influencer les perceptions de l'élève et, en conséquence, sa motivation.

Les travaux de Johnson *et al.* (1984) et de Kagan (1989, 1992) mettent en lumière deux structures différentes que l'on peut observer dans une classe : une structure de compétition ou une structure de coopération. Dans une structure de classe axée sur la compétition, les leçons sont organisées de telle sorte que chaque élève est porté à travailler individuellement pour réussir au détriment des autres élèves. On peut caractériser une telle structure de la façon suivante :

- l'enseignant pose des questions à la classe ;
- les élèves qui veulent répondre lèvent la main ;
- l'enseignant choisit un élève pour répondre à la question ;
- l'élève tente de fournir une réponse.

Alors, lorsqu'un élève est choisi, les autres perdent leur chance. Quand l'élève choisi donne une mauvaise réponse, les autres ont la chance de mieux paraître. Les élèves font généralement du travail individuel à leur pupitre et n'ont pas souvent le droit d'aider leurs voisins ou de partager leurs idées avec eux. Enfin, l'évaluation constitue souvent le critère permettant de récompenser les élèves qui ont une note plus élevée.

Dans cette structure, l'évaluation est basée sur des *mesures normatives* qui s'attachent à catégoriser les élèves en forts, moyens et faibles. Par ailleurs, comme certains élèves subissent la pression de leurs parents qui souhaitent qu'ils soient les meilleurs, la classe est perçue par les élèves comme un lieu de compétition où il faut obtenir les meilleurs résultats possible. Notons toutefois que de nombreux enseignants se montrent généralement préoccupés par cette dimension de compétition et s'efforcent d'en réduire la portée. La *mesure à interprétation critériée* représente un des efforts pour diminuer la compétition dans la classe. Avec une telle mesure, les résultats de l'élève sont interprétés en référence à la tâche demandée ou à l'objectif qu'il doit atteindre, sans tenir compte des résultats des autres élèves. On a toutefois constaté que changer la manière d'évaluer sans changer la structure de compétition de la classe ne résout pas nécessairement le problème.

Dans une classe qui adopte une structure de coopération, les élèves travaillent ensemble pour réussir une activité donnée. Les leçons sont structurées de telle sorte que les élèves doivent travailler en petits groupes de coopération avec des buts qui sont partagés par tous les membres de l'équipe. Comme le soulignent Johnson *et al.* (1984), les groupes coopératifs en classe sont formés avec la perspective d'une *interdépendance positive* entre les membres du groupe de telle sorte que chaque individu devient responsable de son propre apprentissage et de celui des autres membres du groupe. Bien sûr, il peut y avoir des récompenses. Cependant, celles-ci ne s'adressent pas à un individu, mais à l'ensemble de la classe ou, à tout le moins, à l'ensemble des membres d'un groupe. Chaque individu doit travailler pour que le groupe puisse obtenir ladite récompense. Dans une telle structure, une évaluation axée sur la mesure à interprétation critériée convient mieux. L'élève est alors évalué en fonction de la tâche à réaliser, sans tenir compte des résultats des autres élèves ou de l'aide que le groupe lui a apportée.

2.2 Le style de gestion de l'enseignant

Les études ont démontré que l'enseignant peut adopter un style d'enseignement directif, autoritaire ou, au contraire, un style plutôt participatif, sans toutefois aller jusqu'au laisser-faire. Dans le style directif, l'enseignant assure un contrôle assez fort sur toutes les activités qui se déroulent. L'enseignement est généralement à prédominance magistrale et les élèves sont souvent passifs. La fréquence des interactions entre l'enseignant et les élèves est beaucoup plus élevée que celle des interactions des élèves entre eux. Une telle situation augmente, chez l'élève, la perception de non-contrôlabilité sur la façon de présenter un devoir ou une tâche, par exemple. L'élève sent qu'il doit faire exactement ce que l'enseignant s'attend à trouver. Il est difficile pour l'élève de négocier la possibilité de faire des choses différentes de ce que l'enseignant demande.

Dans un contexte d'enseignement où le style est directif, l'élève évitera de prendre des risques au moment d'une évaluation et cherchera à répondre fidèlement aux attentes de l'enseignant, même si cela ne le satisfait pas. Un style d'enseignement directif oriente les élèves vers la poursuite de buts de récompense au détriment d'un apprentissage en profondeur.

Dans le style participatif, les élèves sont plus actifs dans leur apprentissage et les interactions entre élèves sont aussi nombreuses que les interactions enseignant–élèves. Bien sûr, l'autorité de l'enseignant demeure présente, mais une partie du pouvoir est distribuée aux élèves. Ceux-ci ont l'impression qu'ils peuvent exprimer en classe des façons différentes de voir les choses et que, même si l'enseignant n'apprécie pas toujours cette façon de faire, du moins est-elle acceptée.

Bien sûr, les deux styles d'enseignement ne s'opposent pas de façon catégorique. Dans certains cas, surtout lorsque l'apprentissage se limite à des techniques où c'est la mémorisation qui compte, le style directif rend mieux service aux élèves. Par contre, lorsqu'il s'agit d'apprentissages en profondeur, plus complexes, le style participatif est plus efficace. Il faut toutefois souligner que, dans la réalité de toute bonne classe, les deux styles se côtoient. Cependant, la conduite d'une classe peut présenter une prédominance du style directif ou, au contraire, une prédominance du style participatif. Comme l'a souligné Goodlad (1983), souvent les enseignants désirent avoir une classe où les élèves participent à leur apprentissage en choisissant les aspects à étudier, en travaillant en équipe pour résoudre des problèmes, etc. Cependant, cette vision est vite atténuée par le besoin d'assurer une bonne discipline en classe en recourant au style qui, depuis bien des années, a fait ses preuves : le contrôle de la situation par l'enseignant.

Mise en pratique

Vous êtes en train de dîner à la cafétéria de l'école Les Avisées lorsque vous entendez une conversation engagée entre trois élèves de la première année du secondaire. En tant que futur enseignant, la conversation ne manque pas de vous intéresser. Tout en mangeant, vous y prêtez attention.

Le garçon, qui porte sa casquette sens devant derrière, parle avec une rapidité déconcertante :

— Hier, j'ai été très déçu. Avant l'examen, j'ai passé toute une soirée à étudier les chapitres et les notions sur lesquels le prof nous avait dit qu'il poserait des questions. À l'examen, seulement 10 des 15 questions ont porté sur les aspects que j'ai étudiés. Je crois que le prof ne respecte pas sa parole. Pourtant, à chaque cours, je prends la peine de souligner tout ce qu'il nous dit être important, quand il n'arrête pas de nous rabâcher : « Attention ! Cette notion est importante à maîtriser, car je la vois bien dans l'examen de fin d'étape. » Si je n'obtiens pas une très bonne note, ce sera la faute du professeur, qui nous a induits en erreur. En tout cas, l'important, c'est que je passe. Je crois que j'ai eu la bonne réponse à au moins 12 des 15 questions. En plus, tu sais ce qui m'écœure ? C'est qu'Itriche va obtenir la meilleure note sans avoir étudié. Elle m'a dit qu'elle s'est arrangée pour avoir les questions de l'examen deux jours plus tôt.

La fille à qui il avait dirigé ses commentaires opinait de la tête en donnant chaque fois un petit coup pour découvrir ses yeux qu'une mèche rebelle prenait plaisir à cacher.

— Qu'en penses-tu, Anaïs ? dit-elle en s'adressant à l'autre fille, qui suivait la conversation d'un air détaché.

— Prenez-ça *cool,* les amis ! fait alors Anaïs. Pourquoi vous fatiguer le coco ? Notre prof donne un examen de 15 questions. Cinq questions sont de type « vrai ou faux » : si tu as bien écouté le prof, tu as une forte probabilité d'obtenir au moins trois bonnes réponses sur les cinq. Cinq autres questions sont à choix multiple avec un choix de trois réponses. Par élimination, et la chance aidant, tu peux espérer obtenir encore là trois bonnes réponses sur les cinq. Cela nous amène déjà à 60 %, qui est la note de passage. Sur les cinq dernières questions, deux demandent qu'on élabore une explication. Si tu écris bien, si tu écris beaucoup et que tu soignes bien ton écriture, le prof sera bien gêné de te mettre une mauvaise note. Donc, tout compte fait, il reste seulement trois questions auxquelles il est plus difficile de répondre si tu n'as pas étudié. Moi, j'ai procédé ainsi et je crois que ma note va se situer entre 60 % et 70 %.

À partir de cette conversation, faites ressortir les éléments qui permettent de faire des liens entre la motivation, l'évaluation et la qualité de l'apprentissage.

Chapitre 3

Des objectifs aux compétences

De nos jours, les responsables de l'éducation semblent adopter une nouvelle orientation dans la façon d'envisager un programme d'études. Jusqu'à tout récemment, les programmes étaient définis selon un ensemble d'*objectifs* que les élèves devaient atteindre à la fin de leurs études. Depuis peu, les programmes d'études s'orientent vers des *compétences* que les élèves doivent avoir acquises à la fin de leurs études. Nous tenterons, dans les prochaines pages, de faire la distinction entre ces deux conceptions et de souligner les implications de ces types de programmes sur la façon de conduire l'évaluation.

1 Les programmes d'études basés sur les objectifs pédagogiques

1.1 Une définition

Les programmes d'études visent généralement un ensemble assez vaste de connaissances, d'habiletés et d'éléments de développement social que l'élève doit acquérir pour pouvoir mieux fonctionner dans la vie. Cette visée est généralement véhiculée dans « des contenus disciplinaires découpés et détaillés sous forme d'objectifs pédagogiques : un objectif pédagogique étant un énoncé d'intention qui précise et fixe les changements durables qui doivent s'opérer chez le sujet pendant ou suite à une situation pédagogique » (Legendre, 1993). Les objectifs sont donc définis pour chaque contenu de la discipline et précisent les apprentissages attendus de l'élève. Prenons l'exemple présenté dans la figure 3.1 et qui concerne des objectifs poursuivis par le programme de mathématique au primaire. L'objectif général cerne l'apprentissage que doivent faire tous les élèves soumis au programme. L'objectif terminal définit de façon plus spécifique l'apprentissage attendu des élèves d'une classe donnée. Les objectifs intermédiaires représentent les étapes nécessaires à l'atteinte de l'objectif terminal. On peut remarquer que les objectifs demeurent centrés sur le contenu de la discipline.

Objectif général	Permettre l'exploration et l'apprentissage par l'enfant de concepts de propriétés, de relations, de régularités, de structures mathématiques dans les domaines du nombre, de la géométrie et de la mesure. (p. 12)
Objectif terminal 1	Reconnaître le nombre comme une des propriétés d'un ensemble d'éléments.
Objectifs intermédiaires	1.1 Classifier des objets selon une propriété donnée. 1.5 Compléter une suite.
Objectif terminal 2	Se familiariser avec les caractéristiques de la numération en base dix.
Objectifs intermédiaires	2.5 Déterminer d'après sa position la valeur d'un chiffre dans un nombre. 2.7 Composer et décomposer un nombre représentant un ensemble d'éléments regroupés selon la base dix. (p. 21)

Figure 3.1 **Exemple tiré du programme de mathématique du primaire**

Objectif général	À la fin du module 2, l'élève devrait comprendre l'importance des ressources minières et hydrographiques du Québec et du Canada.
Objectifs terminaux	2.1 Décrire les principales régions physiographiques du Canada. 2.2 Montrer l'importance des mines au Québec et au Canada. 2.3 Montrer l'importance de l'eau comme ressource.
Objectifs intermédiaires (pour l'objectif terminal 2.1)	2.1.1 Décrire les étapes de l'histoire géologique du Canada. 2.1.2 Situer les régions physiographiques de l'Amérique du Nord. 2.1.3 Caractériser les cinq principales régions physiographiques du Canada.

Figure 3.2 **Exemple du programme de géographie du Québec et du Canada**

Quant à l'exemple de la figure 3.2, il est tiré du programme d'études de géographie du Québec et du Canada de la troisième secondaire, et concerne le module portant sur les ressources minières et hydrographiques.

Ces deux exemples permettent de constater que les programmes axés sur les objectifs suivent généralement le même modèle : objectif général — objectifs terminaux — objectifs intermédiaires. Voyons maintenant les caractéristiques de ces programmes.

1.2 Des caractéristiques

Liés à une approche centrée sur le contenu de la discipline *externe à l'individu*, les objectifs sont *généralement* spécifiques au contenu de la matière, et l'acquisition des connaissances ainsi que le développement des habiletés se font, en principe, de façon séquentielle. Certains auteurs, dont Newmann (1988), soulignent que cette approche entraîne chez les enseignants une préoccupation à couvrir le contenu de la discipline à enseigner et une tendance à fragmenter l'apprentissage des élèves. De plus, l'aspect cognitif (savoirs et savoir-faire) prend plus d'importance que l'aspect affectif (savoir-être). D'inspiration behavioriste, un objectif pédagogique :

- est externe à la personne en formation ;
- est prédéfini et fixe ;
- parcellise le contenu de formation et postule que la somme des parties est égale au tout ;
- distingue généralement la formation selon les domaines cognitif (habiletés intellectuelles), affectif (attitudes) et psychomoteur (habiletés psychomotrices) ;
- considère généralement que la non-atteinte d'un objectif est un indicateur de l'absence, chez l'individu, de l'apprentissage prévu.

Sans nier les apports considérables de l'approche par objectifs qui a permis de donner plus de cohérence aux systèmes d'enseignement, il faut reconnaître que, dans sa mise en œuvre, c'est la perspective behavioriste qui a dominé.

1.3 L'évaluation dans un programme axé sur les objectifs

Quand notre préoccupation porte sur le contenu d'une discipline, nous avons coutume de déterminer ce que l'élève doit connaître et être capable de faire pour répondre aux exigences de la maîtrise du contenu. C'est ainsi qu'on recourt généralement à la définition d'un ensemble d'objectifs dits pédagogiques parce qu'ils sont axés sur l'apprentissage attendu chez l'élève. Dans une telle optique, la connaissance résulte d'une accumulation d'habiletés spécifiques (les objectifs) hiérarchisées selon les exigences du contenu de la discipline. L'approche évaluative qui découle de ce paradigme portera sur la quantification des savoirs acquis par les personnes en formation. En conséquence, l'évaluation s'intéressera généralement aux objectifs d'ordre cognitif liés à la discipline. Il s'agit de ce que nous pouvons appeler une évaluation centrée sur le contenu de la discipline. L'évaluation des apprentissages consiste donc à vérifier l'atteinte, par la personne en formation, des objectifs d'apprentissage préalablement définis et liés uniquement aux contenus des disciplines. Voici, par exemple, des indications adressées aux parents dans un bulletin de la deuxième année du primaire (*voir la figure 3.3*).

Dans ce bulletin, l'enseignant doit indiquer l'atteinte de ces objectifs par les lettres suivantes.

A. Dépasse les exigences.
B. Répond aux exigences.
C. Ne répond que partiellement aux exigences.
D. Ne répond pas aux exigences.

Dans des situations variées, votre enfant :

- établit des liens entre des notions portant sur les nombres, la géométrie et les mesures de longueur. ☐
- lit et écrit des nombres et des symboles. ☐
- traduit l'énoncé de problèmes (+, –). ☐
- effectue mentalement et par écrit des opérations sur les nombres naturels. ☐

Figure 3.3 **Exemple d'indications adressées aux parents**

Il y a près de trente ans déjà, Popham (1974), avec le concept d'objectifs amplifiés, et Hively (1974), avec celui de mesure liée à un domaine, ont proposé ces approches pour remédier aux critiques formulées à l'égard des programmes d'études axés sur des objectifs opérationnels. C'est pourquoi on a pu observer au cours des années 1980, au Québec, une tendance à recourir à des objectifs formulés de façon plus globale afin de contourner les limites des objectifs opérationnels. Malgré ces efforts, il n'en demeure pas moins que les objectifs, qu'ils soient spécifiques ou globaux, restent collés à un contenu de la discipline. On a assisté aussi à des mouvements pédagogiques proposant une intégration des matières ou une concentration de l'enseignement sur des habiletés dites transversales comme le jugement critique, le raisonnement, et ce, afin de pouvoir rompre avec un modèle fermé sur la discipline d'enseignement.

2 Les programmes axés sur des compétences

2.1 Une définition

La vision de programmes d'études axés sur les compétences est aussi une solution de remplacement aux programmes basés sur des objectifs liés à des contenus des disciplines. Dans une approche basée sur les compétences, l'attention porte non pas sur un contenu externe à l'individu, mais sur *une intégration par l'individu des savoirs (théoriques et pratiques), des savoir-faire et des attitudes nécessaires à l'accomplissement, de façon satisfaisante, des tâches complexes, signifiantes pour l'élève et nécessaires à son adaptation ultérieure à la vie d'adulte.* Plusieurs auteurs ont clairement souligné la nécessité de faire reposer les nouveaux programmes d'études sur une vision cognitiviste des compétences et ont proposé des définitions qui évoquent des savoir-faire complexes (Barbès, 1990 ; Désilets et Brassard, 1994 ; Goulet, 1995*c* ; Perrenoud, 1995). Selon la perspective cognitiviste, la compétence est un état, une capacité à agir, et non une action particulière. Cet état est lié à une structure de connaissances conceptuelles et méthodologiques ainsi qu'à des attitudes et à des valeurs qui permettent à la personne de porter des jugements et des gestes adaptés à des situations complexes et variées. Pour Wodistsch (1977), une compétence est un ensemble d'habiletés génériques qui semblent revenir de façon fréquente et récurrente comme composante de la réussite d'une série de tâches variées impliquant un ensemble de savoirs, de savoir-faire et d'attitudes. Wiggins (1994, p. 219) va un peu plus loin en définissant la compétence comme un jugement qui permet à l'élève de s'adapter efficacement à des rôles et à des situations spécifiques que rencontrent les adultes.

Quant à nous, nous définissons la compétence comme *l'exercice du jugement dans le choix et l'application des connaissances nécessaires en vue de réaliser efficacement une action, compte tenu du problème posé et du contexte dans lequel l'action se déroule.* Pour nous, la compétence est le résultat de la mobilisation par l'élève des connaissances déclaratives, procédurales et conditionnelles en vue de la réalisation efficace d'une action ayant des conséquences sur son environnement et sur son adaptation à la vie d'adulte. Par exemple, on peut observer la manifestation d'une compétence chez l'élève qui, face à un problème issu de sa réalité (école, famille, etc.), est capable de faire appel aux connaissances nécessaires (liées aux disciplines scolaires : mathématique, français, etc.) en vue de trouver une solution au problème, de communiquer, de mettre en œuvre ou de défendre efficacement sa solution. Bien sûr, la compétence est différente selon qu'il s'agit d'élèves du primaire et du secondaire, ou d'étudiants qui suivent une formation menant à une profession (futurs enseignants, futurs médecins, etc.). Dans ce dernier cas, on parlera de compétence professionnelle en faisant référence à la réalité de l'exercice de la profession.

Nous croyons qu'il est juste de relier la vision de compétence que nous proposons au courant socioconstructiviste selon lequel la connaissance se construit par l'interaction de l'individu avec son environnement. D'ailleurs, pour certains auteurs qui adoptent ce courant de pensée :

- l'apprentissage est un processus actif, constructif et graduel, au cours duquel l'élève intègre du matériel nouveau à ses connaissances antérieures afin de créer de nouvelles idées ou de nouvelles significations (Gerlach, 1994 ; Smith et McGregor, 1992 ; Tardif, 1992) ;
- et cet apprentissage se déroule dans un contexte social (communication et interaction) caractérisé, entre autres, par la diversité des expériences et des connaissances des différents acteurs (Gerlach, 1994).

2.2 Des caractéristiques

La compétence, au sens où nous l'envisageons, posséderait donc les caractéristiques suivantes :

- elle est interne à la personne ;
- elle intègre des savoirs, des savoir-faire et des attitudes ;
- elle se manifeste dans des situations ou des problèmes issus de la réalité de vie de la personne ;
- la non-manifestation de la compétence ne constitue pas nécessairement un signe de son absence chez la personne concernée, mais plutôt un signe que le contexte, pour diverses raisons, ne rend pas possible sa mise en œuvre.

Nous avons dit que la compétence fait appel à trois types de connaissances. Définissons-les succinctement.

Les *connaissances déclaratives* (*Quoi ? Qu'est-ce que ?*) sont les savoirs théoriques se rapportant à des faits, à des principes et à des lois. Par exemple, la connaissance des règles de grammaire, des lois chimiques, des formules mathématiques et des ressources physiques d'une région sont autant de connaissances déclaratives.

Les *connaissances procédurales* (*comment faire*) sont les connaissances portant sur le comment de l'action et sur les étapes et les procédures permettant de réaliser une action. Par exemple, la mise en application des étapes nécessaires pour pouvoir rédiger un texte d'opinion, conduire une bonne expérience en laboratoire, puis en rédiger le rapport et la mise en place de la démarche historique permettant de bien expliquer un événement relèvent, en dernière analyse, des connaissances procédurales.

Les *connaissances conditionnelles* (*quoi faire et comment si...*) sont les connaissances se rapportant aux conditions : quand, pourquoi et dans quelles conditions exercer une action ou une stratégie donnée. Par exemple, lorsqu'il doit résoudre un problème, l'élève, après en avoir fait la lecture, choisit parmi un ensemble de stratégies celle qui semble lui assurer la meilleure solution. On verra plus loin que les connaissances conditionnelles sont sollicitées lorsque l'évaluation des apprentissages se fait à partir d'une tâche où la mise en situation est complexe.

2.3 L'intégration des trois types de connaissances

Le jugement que doit exercer l'élève s'appuiera donc sur les trois types de connaissances nécessaires à la réalisation de l'action et à la recherche de l'efficacité de l'action selon le contexte d'application de cette dernière. Comme le suggère notre définition de la compétence, l'enseignant n'envisagera pas les connaissances de façon isolée. Il s'intéressera à la fois à :

- l'intégration des trois types de connaissances qui permettent l'expression de la compétence ;
- la transversalité de ces connaissances par rapport aux disciplines d'enseignement ;
- l'exercice de jugement de la part de l'élève dans la réalisation efficace de l'action.

Prenons l'exemple de la compétence suivante : *compétence à communiquer efficacement à un auditoire donné la solution choisie pour un problème soumis.*

Dans cette compétence, nous trouvons les connaissances déclaratives (connaissance des règles ou des étapes de la résolution de problèmes et de la communication, connaissance des caractéristiques de l'auditoire, etc.), les connaissances procédurales (mise en application des étapes, des procédures de la résolution de problèmes et de la communication) et les connaissances conditionnelles (choix de la meilleure stratégie de solution du problème compte tenu des informations disponibles, de la meilleure stratégie de communication compte tenu de l'auditoire, etc.).

Cette compétence nous permet d'observer la transversalité puisqu'elle fait intervenir des connaissances et des façons de procéder qui ne sont pas propres à une discipline d'enseignement donnée. Enfin, la réalisation efficace de l'action de l'élève implique le jugement de ce dernier.

2.4 L'évaluation dans un programme axé sur les compétences

Dans cette optique, la logique qui semble guider l'évaluation axée sur des objectifs de comportement prédéfinis nous apparaît différente de celle d'une évaluation qui veut prendre en compte le jugement de l'élève dans la mobilisation des connaissances en vue de la réalisation efficace d'une action. Les pratiques issues de l'usage des objectifs prédéfinis nous ont habitués à des évaluations qui départagent les connaissances déclaratives des connaissances procédurales et conditionnelles. Par exemple, on rencontre fréquemment, dans un même examen, des questions qui mesurent de façon isolée des connaissances déclaratives, des connaissances procédurales et quelquefois des connaissances conditionnelles. La somme des bonnes réponses est alors considérée comme un indicateur de l'intégration par l'élève des trois types de connaissances.

Lorsqu'on envisage une évaluation axée sur des compétences, il faut s'intéresser à la mobilisation par l'élève des *trois connaissances intégrées* en vue de réaliser une action (production ou construction de savoirs) dont l'efficacité dépendra de l'exercice de jugement de la part de l'élève.

2.4.1 Des tâches complexes permettant de résoudre un problème concret

Par ailleurs, une autre caractéristique distingue un objectif d'une compétence. Si l'objectif dérive généralement et de façon directe d'un savoir théorique issu d'un contenu de discipline, la compétence, quant à elle, prend pour source les *tâches complexes et pratiques* nécessaires à l'accomplissement d'un rôle ou d'une fonction. Bien sûr, le contenu notionnel de la discipline est encore présent. Cependant, celui-ci ne représente qu'une catégorie de ressources parmi d'autres nécessaires à l'accomplissement d'une tâche donnée. En d'autres termes, si l'accomplissement d'une tâche nécessite un savoir disciplinaire donné, la maîtrise de ce dernier n'est pas nécessairement l'indicateur de la capacité à accomplir la tâche. L'évaluation des apprentissages dans un programme axé sur les compétences va donc s'intéresser à l'accomplissement d'une variété de tâches qui permettent d'inférer la compétence. L'instrumentation nécessaire à l'évaluation des compétences portera alors sur des tâches qui se rapprochent le plus possible de la situation réelle que risquent de rencontrer les élèves dans la vie scolaire et extrascolaire.

Puisque la compétence est complexe, les tâches évaluatives devront cerner les dimensions sous lesquelles se manifeste cette complexité, dimensions qui induisent la multidimensionnalité de la compétence. La prise en compte de la complexité et de la multidimensionnalité de la compétence permettra de nuancer le jugement que l'on portera sur le développement de la compétence chez la personne en formation. Par exemple, on pourra dire que certaines dimensions de la compétence sont présentes chez la personne évaluée alors que d'autres, plus complexes, ne sont pas encore achevées.

2.4.2 La spécification d'un domaine des performances

Une autre implication importante d'une évaluation axée sur le développement des compétences concerne la spécification du domaine des performances qui permettent d'inférer les compétences visées. Jusqu'à maintenant, le domaine que doit couvrir un instrument de mesure considérait le contenu de la discipline ainsi que les éléments de la taxonomie du domaine cognitif, entre autres la taxonomie de Bloom. Puisque l'intérêt porte maintenant sur des performances complexes traduisant une intégration des savoirs en vue d'une action le plus efficace possible permettant, par exemple, de résoudre un problème signifiant, la définition du domaine doit prendre en considération l'ensemble de ces éléments. Schaefer *et al.* (1992) soulignent que beaucoup de soin devra être apporté à la conceptualisation et à la spécification des domaines de performances afin de s'assurer de la validité et de l'utilité de l'évaluation. Dans la mesure où l'on accepte que les performances qu'il convient d'évaluer sont complexes, impliquent le jugement de l'élève et peuvent varier d'une situation à une autre, les réponses devraient aussi varier d'un individu à un autre. En d'autres termes, il n'y a pas de réponse unique et prédéterminée. L'évaluateur doit utiliser son jugement pour analyser et interpréter la variété des réponses possibles. C'est alors qu'il devient nécessaire de définir, dans la démarche de définition du domaine de performances, en prévision de l'évaluation, les dimensions qui représentent les attributs critiques de l'efficacité des performances à observer (critères, performances standards, grille d'appréciation, etc.).

L'un des défis qu'impose l'évaluation des compétences demeure le développement de critères représentant, de façon claire, signifiante et utile, les niveaux de performances qui traduisent, d'une part, l'expression manifeste de la compétence et, d'autre part, les étapes de développement de la compétence de l'élève. Ce qui exige des critères descriptifs et explicites des différents niveaux de performances. Dans la pratique courante, les critères sont souvent définis en dehors de la tâche évaluative et ne sont pas portés à la connaissance de l'élève. Bien souvent, ces critères sont exprimés soit en pourcentage de note accordée, soit sous forme d'échelle d'appréciation du type : maîtrise — maîtrise plus ou moins — maîtrise avec aide — non-maîtrise. Dans une évaluation axée sur le développement des compétences, les critères doivent bien sûr présenter de façon très descriptive les niveaux de performances, mais ils devraient aussi être portés à la connaissance de l'élève en les situant dans la tâche qu'il doit réaliser. Si ces informations sont absentes, l'élève risque de ne pouvoir exercer le jugement approprié à la réalisation efficace de la tâche.

Enfin, une autre implication non moins importante concerne les énergies et les ressources liées au développement et à la mise en application d'une évaluation qui vise le développement des compétences. La variété des instruments (épreuves papier et crayon, grilles d'observation, portfolio, etc.) permettant de mesurer la complexité des performances, les moyens divers qui doivent supporter toute cette instrumentation (moyens audiovisuels, examinateurs, correcteurs, etc.), le temps qu'on doit accorder pour la collecte des données et la compilation de ces dernières sont autant de facteurs avec lesquels il faut compter.

Nous verrons plus en détail, dans les chapitres suivants, le modèle d'évaluation qui convient le mieux à une évaluation axée sur le développement des compétences.

Mise en pratique

1. En équipe, choisissez dans un programme d'études un ensemble d'objectifs. En vous basant sur ces objectifs, élaborez une ou plusieurs compétences. N'oubliez pas que la compétence doit permettre d'observer l'intégration des connaissances, la transversalité disciplinaire et le jugement de l'élève.

2. Vous avez préparé et planifié une leçon qui porte sur une notion importante du programme que vous enseignez aux élèves de la quatrième secondaire. Vous avez préparé du matériel multimédia pour cette leçon. Lorsque vous arrivez en classe, le matin, vous apprenez que le matériel informatique est en panne. Votre leçon se donne à la deuxième période, dans environ une heure.
   a) Discutez des moyens que vous prendrez pour que la leçon soit le plus efficace possible.
   b) Quelles connaissances avez-vous utilisées pour choisir les moyens retenus ?
   c) Catégorisez ces connaissances selon les trois types étudiés.
   d) Sur quels jugements reposent les décisions prises ?
   e) Quelle compétence vous a permis de résoudre le problème ?

Chapitre 4

La mesure en éducation

Pour faire l'évaluation des apprentissages, il faut observer, chez les personnes qui apprennent, des manifestations pouvant nous renseigner sur les aspects que nous voulons évaluer. Pour choisir les manifestations les plus pertinentes, les observer, les traiter en vue de rendre un jugement le plus juste et le plus valable possible sur l'apprentissage réalisé, nous avons souvent recours à des instruments de mesure. Les instruments de mesure peuvent être un examen, une grille d'observation, une récitation, un travail, etc. Puisqu'il est question d'instruments de mesure, il faut considérer les principes qui régissent leur élaboration. Ce chapitre se veut une introduction aux principes et aux règles qui légitiment l'élaboration et l'utilisation des instruments de mesure dans le domaine de l'éducation.

1 La pertinence de la mesure en éducation

Dans le contexte de l'enseignement primaire ou secondaire, le but généralement poursuivi en éducation consiste à mettre en place un ensemble de conditions nécessaires à la réalisation, par des élèves, des apprentissages jugés essentiels, par une société donnée, à la formation du futur citoyen. Parmi ces conditions, on peut citer : l'organisation matérielle de la formation (les écoles, les classes, etc.), la répartition des ressources financières et humaines (le budget, le personnel enseignant, les conseillers pédagogiques, le personnel administratif, etc.), les activités de formation proprement dites (l'enseignement, les programmes d'études, le matériel pédagogique, les services aux élèves, etc.). Les apprentissages attendus des élèves et qui doivent faire l'objet d'enseignement sont officiellement définis par les responsables de l'éducation. Au Québec, ces apprentissages sont énoncés dans un *curriculum* qui précise les finalités de l'éducation, les divers champs de formation (français, mathématique, sciences humaines, sciences de la nature, arts, etc.). Chacun de ces champs de formation fait l'objet d'un programme d'études qui précise les apprentissages attendus dans le champ considéré. Par exemple, le programme d'études du français pour les élèves du primaire définit les objectifs de formation visés pour chacune des classes, de la première à la sixième année. On peut dire que les apprentissages attendus dans un programme d'études donné constituent des changements qui doivent se réaliser chez les élèves concernés. Les enseignants, les élèves, l'école et le système éducatif se voient investis d'une certaine responsabilité, à tout le moins sociale, pour faire en sorte que les changements souhaités soient effectivement réalisés.

Les changements que propose l'éducation à l'intention des élèves ont donc une direction qui est définie par les programmes d'études et un sens imposé par les valeurs sociales et culturelles propres à la société dans laquelle se déroule la formation du futur citoyen. De plus, ces changements ont une amplitude : lorsqu'ils surviennent chez les personnes en formation, ils peuvent varier en grandeur (quantité) et en nature (qualité). La mesure en éducation s'attarde alors à cerner les changements souhaités pour les élèves, à les quantifier pour en apprécier à la fois le degré de réalisation chez les élèves et la performance du système éducatif compte tenu du dispositif de formation mis en place.

2 Une définition de la mesure en éducation

La mesure en éducation consiste à :

- déterminer l'objet à mesurer. Par exemple, il peut s'agir de la compétence à résoudre des problèmes ou la compétence à communiquer par écrit;
- définir les dimensions et les caractéristiques directement observables de l'objet retenu. Par exemple, on peut décomposer la compétence à résoudre des problèmes selon les dimensions suivantes.

  D1 : contenus nécessaires liés aux disciplines,
  D2 : démarche de solution,
  D3 : communication de la solution.

Les caractéristiques observables renvoient aux questions posées par l'élève ou aux gestes qu'il devrait faire selon chacune des dimensions;

- appliquer une règle d'assignation d'indices numériques (0 ou 1) aux caractéristiques observables retenues.

Exemple

Fattie enseigne en sixième année. Elle veut savoir, à la fin de la période d'enseignement, si les élèves de sa classe ont maîtrisé les apprentissages prévus au programme d'études de mathématique. Elle décide de mesurer la compétence des élèves à résoudre des problèmes (objet à mesurer).

Pour cela, elle consulte son programme d'études et retient l'objet suivant : *l'élève sera capable de résoudre des problèmes tirés de la vie courante et portant sur les quatre opérations.*

Fattie choisit enfin de retenir les trois dimensions présentées ci-dessus (D1, D2 et D3). Elle rédige un problème tiré de la vie courante que les élèves doivent résoudre et dont ils doivent communiquer la solution trouvée. Pour formuler les questions, elle prend en considération chacune des dimensions. Deux questions par dimension sont posées aux élèves.

Fattie doit maintenant décider comment elle transformera les réponses écrites des élèves en symboles mathématiques afin de pouvoir quantifier chez les élèves les différentes grandeurs possibles que peut prendre la compétence mesurée. Une des façons qu'elle pourrait retenir consiste à associer le symbole 1 à toute réponse considérée comme bonne et 0, à toute réponse non acceptable. Le tableau 4.1 illustre cette façon de faire.

Avec un tel instrument, Fattie peut quantifier la compétence à résoudre des problèmes avec des grandeurs allant de zéro (0), pour l'élève qui ne posséderait pas la compétence du tout, à six (6), pour celui qui la possède par-

Tableau 4.1 **Exemple d'instrument de mesure**

Dimension	Question	Bonne réponse	Mauvaise réponse
Dimension 1	Question 1	1	0
Dimension 1	Question 2	1	0
Dimension 2	Question 3	1	0
Dimension 2	Question 4	1	0
Dimension 3	Question 5	1	0
Dimension 3	Question 6	1	0

faitement. Il faut toutefois souligner qu'elle pourrait tout aussi bien calculer un score par dimension. Ce faisant, elle considérerait son instrument de mesure comme composé de trois sous-instruments.

3 Quelques postulats de la mesure en éducation

L'assignation d'indices permettant de quantifier un objet que l'on veut mesurer se fait à partir de certains postulats, dont les suivants.

- *Postulat 1* Les caractéristiques retenues sont observables ; si elles n'apparaissent pas chez les élèves, c'est qu'elles sont absentes. C'est ce postulat qui permet de transformer la réponse à une question en indice numérique (0 pour une mauvaise réponse et 1 pour la bonne réponse, par exemple).
- *Postulat 2* Les caractéristiques observables sont additives, c'est-à-dire qu'elles peuvent s'additionner pour exprimer la quantité de l'objet mesuré. Grâce à ce postulat, il est possible d'additionner le résultat obtenu pour chaque question en vue d'obtenir un score total.
- *Postulat 3* Chaque caractéristique observable apporte une contribution spécifique et importante à la mesure de l'objet. Ce postulat exige que l'on fasse un choix judicieux des aspects sur lesquels les questions seront posées, garantissant ainsi la qualité et la pertinence des informations obtenues sur l'apprentissage mesuré. Ce postulat est respecté dans la mesure où le domaine de tâches a été bien défini. Nous reviendrons plus loin sur le concept de « domaine de tâches ».

4 Les limites de la mesure en éducation

La mesure en éducation s'est inspirée de la démarche adoptée dans la mesure des phénomènes physiques. Cependant, puisque l'éducation concerne les comportements humains, la mesure en éducation présente des limites importantes.

4.1 Une mesure indirecte

En éducation, la mesure procède de façon indirecte. Quand nous utilisons un examen pour mesurer une compétence donnée, nous ne faisons qu'inférer la présence de la compétence à partir des caractéristiques observables que nous avons définies. Nous n'avons pas directement accès au fonctionnement mental de l'élève. Nous déduisons qu'un élève possède la compétence mesurée s'il réussit une série de questions choisies par la personne qui a construit l'instrument. Or, les questions posées peuvent très bien occasionner des problèmes liés à la façon dont elles ont été choisies ou formulées, des problèmes de compréhension qui peuvent occulter la compétence qu'on voulait mesurer.

4.2 Une mesure où l'instrument affecte la personne

Toute mesure, quelle qu'elle soit, ne mesure pas l'objet lui-même, mais des caractéristiques choisies de l'objet. Ce choix s'effectue en fonction du besoin d'information que l'on veut combler. On ne mesure pas une table, on mesure, par exemple, sa longueur, sa largeur, sa solidité, etc. Lorsqu'on mesure la longueur d'une table, il n'y a pas d'interaction entre l'instrument de mesure et la table. En éducation, on ne mesure pas la personne, mais l'apprentissage réalisé par cette dernière. Le problème, en éducation, c'est que l'instrument choisi pour mesurer l'apprentissage de l'élève influence la personne. En d'autres termes, il y a interaction entre l'aspect mesuré chez la personne et la personne elle-même. On peut citer, parmi les sortes d'interactions, la crainte, la peur et le stress de l'examen. Par ailleurs, dans certaines situations, l'évaluateur qui élabore l'instrument de mesure peut être influencé lorsqu'il choisit les questions à poser et lorsqu'il procède à la correction.

4.3 Une mesure dont les indices n'ont pas d'unités égales

Dans les sciences exactes, nous pouvons utiliser des instruments qui possèdent, en soi, des unités égales (une règle graduée, un thermomètre, une balance, par exemple) nous permettant de comparer de façon directe les objets entre eux compte tenu de certaines caractéristiques. En éducation, les instruments (les examens) utilisés n'ont pas nécessairement des unités égales. Par exemple, une différence de 20 points entre deux élèves n'indique pas nécessairement que leur apprentissage diffère de 20 points. De plus, cette différence ne donne pas la même information selon qu'elle provient d'une comparaison entre 90 et 70 points ou d'une comparaison entre 40 et 20 points.

Bien sûr, ces limites ont fait l'objet d'études qui ont permis de les atténuer et d'utiliser la mesure en prenant les précautions nécessaires. Les études qui ont été faites pour mieux utiliser la mesure en éducation nous ont donné des outils parmi lesquels nous retiendrons l'analyse des items d'un examen, l'analyse de l'ensemble d'un instrument de mesure et l'analyse des résultats d'un examen. Ces outils seront traités plus loin.

5 Les instruments de mesure en éducation

Les opérations de mesure que nous venons de définir permettent d'élaborer un instrument de mesure. Ordinairement, on utilise le terme *test* pour parler d'un instrument de mesure qui a été validé expérimentalement et standardisé. Les termes *examen* ou *épreuve* définissent plutôt un instrument de mesure qui reflète les apprentissages spécifiques à un programme d'études. On dira donc un « test de classement », alors que l'on parlera d'un « examen » ou d'une « épreuve » de français de la première secondaire. Le langage courant tend généralement à utiliser les termes *test, examen* et *épreuve* indifféremment.

Un instrument de mesure est généralement composé d'un ou de plusieurs items organisés de façon à produire un *continuum* quantitatif à partir duquel on peut situer des personnes compte tenu des apprentissages réalisés. Notons qu'*item* est un terme générique utilisé pour désigner plusieurs choses (*voir le tableau 4.2*).

Tableau 4.2 **Les différents sens du terme « item »**

Sens	Exemples
Une question simple.	Qui a découvert le Canada ?
Une tâche.	On vous demande de rédiger un texte narratif.
Un problème à résoudre.	Anaïs veut faire un profit de 50 $ sur la vente de sa chaîne stéréo. Sachant qu'elle l'avait achetée de son ami Hercule pour 200 $, combien doit-elle demander pour réaliser son profit ?
Un énoncé d'opinion qui demande une réponse.	J'aime les jours de congé. 1. Oui 2. Un peu 3. Non

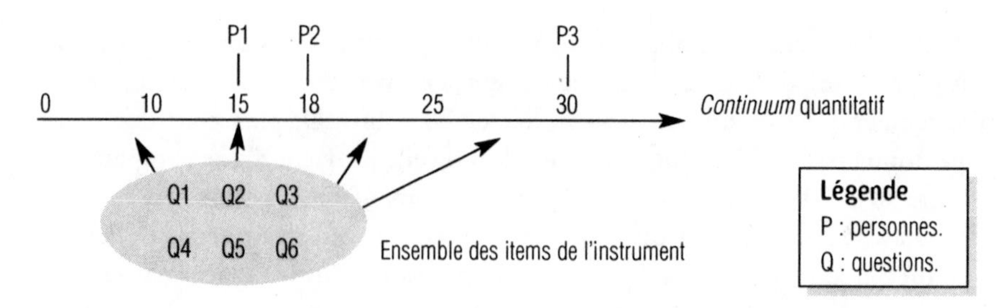

Figure 4.1 **Position de chaque personne par rapport à l'apprentissage mesuré**

Étudions maintenant la figure 4.1 pour voir comment, à partir du *continuum* créé par les items de l'instrument de mesure, observer la quantité d'apprentissage réalisée par un élève ou comparer les élèves par rapport à la grandeur de l'apprentissage réalisé.

Les résultats obtenus par les personnes P1, P2 et P3 aux six questions d'un examen permettent de déterminer leur position respective par rapport à l'apprentissage mesuré. Les questions Q1, Q2, Q3, Q4, Q5 et Q6 définissent un *continuum* allant de zéro (0) à trente (30). Nous supposons que chaque question vaut cinq points. Ce *continuum* créé par les questions devient notre « règle » pour mesurer l'apprentissage réalisé par les personnes concernées (P1, P2 et P3). La quantité d'apprentissage réalisée par P3 (score de 30), par exemple, est représentée par la somme des bonnes réponses obtenues. La quantité d'apprentissage réalisée par P2 ou par P1 est inférieure à celle de P3. On dit alors que la somme des bonnes réponses constitue un indicateur de la quantité d'apprentissage réalisée par une personne.

6 Les approches d'élaboration d'un instrument de mesure

Selon le but visé et la procédure adoptée, on distingue deux approches d'élaboration d'un instrument de mesure : l'approche normative et l'approche critériée.

6.1 L'approche normative

Quand le but visé consiste à situer les apprentissages d'un élève par rapport à un groupe-norme, on dit que l'instrument relève de la mesure normative. Si, par exemple, l'enseignant vise par son examen à remettre un prix aux meilleurs élèves de sa classe, il utilisera un instrument capable de différencier les élèves forts des élèves faibles. Les questions seront retenues en fonction de leur capacité de différencier les forts des faibles. Le résultat d'un élève trouve sa signification par comparaison avec les résultats des autres élèves de la classe. L'information sur les apprentissages réalisés est alors moins importante que la position de l'élève par rapport aux autres qui ont passé le même examen.

Par exemple, le directeur de l'école Saint-Antoine-de-Padoue veut remettre un prix aux cinq meilleurs élèves de la classe de français de la cinquième secondaire. Il utilisera donc un examen de type normatif, c'est-à-dire un examen préparé spécifiquement pour déterminer les meilleurs élèves en français.

6.2 L'approche critériée

Quand l'intérêt de l'enseignant porte sur l'apprentissage réalisé par l'élève sans égard à la performance des autres élèves de la classe, on parle de mesure critériée. Celle-ci consiste à rechercher de l'information sur la performance de l'élève par rapport à un domaine de tâches bien défini. Si l'enseignant décide que l'apprentissage à mesurer concerne la multiplication des fractions, il choisira un ensemble de tâches portant sur la multiplication des fractions sans nécessairement retenir des questions auxquelles ne pourront répondre que les élèves forts. Le choix des questions sera fait uniquement en fonction des situations où l'élève sera appelé à effectuer des multiplications de fractions. Le résultat de l'élève est interprété en regard du nombre de tâches ou de questions réussies. Ici, l'information sur l'apprentissage réalisé est plus importante que la position de l'élève par rapport aux autres élèves de la classe.

Par exemple, Marie, enseignante en classe de cheminement particulier, veut répartir ses élèves éprouvant de la difficulté selon les objectifs qu'ils n'ont pas réussis afin d'organiser une activité de rattrapage après la classe. Pour cela, elle devra utiliser un instrument de mesure critériée puisqu'elle s'intéresse surtout aux apprentissages réalisés ou non par ses élèves.

Nous devons apporter ici une certaine clarification : le terme « critérié » est souvent utilisé comme un attribut de l'évaluation. Certains auteurs parleront d'évaluation critériée pour désigner une évaluation faite à partir de critères bien connus. Pour ces auteurs, le mot *critère* s'applique uniquement au *domaine de tâches* utilisé pour interpréter les résultats de l'élève. Cependant, il faut se rappeler que le concept de mesure critériée (*criterion-referenced-measurement*) a été proposé, la première fois, par Glaser (1963) pour définir une approche d'élaboration d'instruments de mesure visant à informer sur l'apprentissage d'un élève à partir d'un domaine de tâches sans égard aux autres élèves.

Mise en pratique

Jean enseigne depuis 10 ans à l'école Les Écores. Il n'a jamais suivi de cours en évaluation, cela n'étant pas obligatoire lorsqu'il a fait ses études. Il a souvent pensé à s'inscrire à un cours de formation continue dans ce domaine, mais il croit que les cours en évaluation sont trop axés sur les mathématiques et les statistiques. Depuis un certain temps, il s'interroge sur les résultats de ses élèves aux examens qu'il prépare lui-même. En effet, il est convaincu que ses élèves ne réalisent pas les apprentissages qu'il vise pour eux malgré les fortes notes qu'ils obtiennent à ces examens. Il vous consulte pour que vous lui fassiez part de vos commentaires à ce propos. Il vous présente un examen qu'il a préparé et administré dernièrement à ses élèves (*voir la figure 4.2*).

Préparez un court rapport pour exposer votre opinion à cet enseignant. Vos commentaires porteront particulièrement sur les problèmes observés et les solutions à envisager.

Cet examen vise à **mesurer la compréhension de la lecture** des élèves de la première secondaire. Les élèves doivent lire un texte littéraire qui répond aux critères de lisibilité recommandés pour les élèves de cet âge. À la suite du texte, cinq questions sont posées aux élèves, chacune valant deux points.

EXAMEN

1. Quelle est l'idée principale exprimée par l'auteur?

____

2. Trouve trois adjectifs possessifs dans le texte.

__________ __________ __________

3. Repère dans le texte deux verbes du 2e groupe.

______________ ______________

4. Donne le pluriel des mots suivants.
Genou : ______________ Mou : ______________

5. Aimes-tu la lecture? Pourquoi?

____

____

Figure 4.2 **Exemple d'examen préparé par Jean**

Chapitre 5

Les différentes approches de l'évaluation des apprentissages

Dans la pratique courante, l'évaluation des apprentissages se déroule selon un processus par lequel l'enseignant recueille des évidences sur les apprentissages des élèves de sa classe, en vue de s'informer, d'informer l'élève et les agents extérieurs à la classe (parents, administrateurs scolaires, etc.), et de prendre des décisions par rapport aux apprentissages des élèves et par rapport à son enseignement. Selon les moyens que privilégie un enseignant pour recueillir ces évidences, puis en informer l'élève et les agents extérieurs, et selon le type de décision qu'il prend, nous observerons diverses approches de l'évaluation des apprentissages. Il importe donc d'élaborer une catégorisation des approches d'évaluation des apprentissages en vue de pouvoir classifier les croyances des enseignants. Il sera ensuite plus facile de situer les enseignants par rapport aux approches définies.

Étant donné qu'il existe toujours une part d'arbitraire dans le choix des catégories et de leurs appellations (il n'y a pour ainsi dire pas de limites à la façon de regrouper et de nommer l'ensemble des activités liées à l'évaluation des apprentissages), nous nous sommes inspirés des travaux de plusieurs auteurs.

Compte tenu des écrits consultés et à partir d'une expérience pilote sur les croyances d'un groupe d'enseignants (Louis et Trahan, 1995), nous nous attendons à trouver, dans la théorie et dans la pratique de l'évaluation des apprentissages au Québec, *trois approches différentes de l'évaluation des apprentissages.* Ces approches constitueront les catégories que nous étudierons plus en détail dans ce chapitre. Il s'agit de :

- l'évaluation des apprentissages basée sur une approche psycho-éducative;
- l'évaluation des apprentissages basée sur les objectifs de comportement prédéfinis;
- l'évaluation des apprentissages axée sur une approche écologique.

Pour définir chacune de ces catégories (non mutuellement exclusives) et faire ressortir leurs différences, nous préciserons leurs fondements, l'instrumentation proposée (c'est-à-dire la façon dont les évidences sur l'apprentissage de l'élève sont recueillies, interprétées et communiquées) et la façon dont l'information est utilisée. De plus, nous expliquerons, pour chacune des catégories, comment ces approches peuvent être observées dans la pratique courante. Enfin, nous soulignerons la contribution des différentes approches au domaine d'études.

Il convient de préciser que la description des catégories fait référence à un modèle théorique épuré. En fait, la pratique courante présente des situations différenciées où les individus se partagent entre plusieurs catégories avec, toutefois, prédominance d'une catégorie.

1 L'évaluation basée sur une approche psychoéducative

1.1 Les fondements

Ce type d'évaluation se caractérise par une approche d'évaluation des apprentissages qui insiste sur la *mesure des différences individuelles*, eu égard à des caractéristiques liées à la personne. Ces caractéristiques comprennent, entre autres, la capacité intellectuelle et l'aptitude de l'apprenant. Ces concepts sont considérés comme des entités relativement stables, unidimensionnelles et normalement distribuées dans la population. Ils expliquent les performances de l'élève dans une variété de tâches du domaine scolaire et constituent les normes sociales avec lesquelles les individus seront comparés. Cette approche repose donc sur une explication endogène des différences individuelles.

Une telle approche s'inscrit dans le mouvement qui identifie l'évaluation à la mesure et s'inspire de la théorie des tests psychologiques, laquelle théorie s'intéresse, avant tout, aux variables personnelles pouvant expliquer les différences entre les individus. Pour plusieurs auteurs (Cronbach, 1971 ; Oakes, 1985), cette approche découle de l'influence de la théorie de la sélection naturelle de Darwin selon laquelle les individus qui survivent sont ceux qui possèdent les capacités naturelles pour s'adapter à l'environnement.

1.2 L'instrumentation

Les instruments de mesure propres à cette approche présenteront des résultats qui s'interprètent en tenant compte de la *position relative de l'élève par rapport à un groupe de référence*. La validité de l'interprétation des résultats obtenus à l'aide de ces instruments est fonction du pouvoir discriminatif du test eu égard aux échantillons d'items et d'individus à partir desquels l'instrument a été calibré.

1.3 L'utilisation des résultats

Le résultat de l'élève est généralement quantifié sous la forme d'une note brute ou d'un score en pourcentage. Ce résultat permet de comparer l'élève avec un groupe de référence, et l'évaluation sera basée sur cette comparaison.

1.4 La prise de décisions

Les décisions généralement appuyées par cette approche concernent la certification, la promotion, la sélection et le classement des élèves. L'instrument de mesure joue alors un rôle prépondérant dans ces décisions.

1.5 L'utilisation dans la pratique courante

Dans la pratique courante, cette approche amène l'enseignant à recueillir les notes des travaux quotidiens de l'élève et celles provenant des examens en vue de les compiler sous la forme d'une note finale résumant ainsi l'évaluation qu'il a faite de l'élève. Cette note s'interprète généralement en regard des résultats des autres élèves de la classe (moyenne du groupe, rang cinquième, etc.).

1.6 La contribution au domaine d'études

Nous devons à cette approche l'existence d'un ensemble de lois et de procédures (théorie des tests) qui assurent une base solide à la construction et à l'utilisation des instruments de mesure en éducation.

2 L'évaluation basée sur les objectifs de comportement prédéfinis

2.1 Les fondements

Cette approche met plutôt l'accent sur la réalisation par l'élève des tâches définies par les objectifs du programme d'études. Ici, le progrès individuel et les changements dus à l'apprentissage prennent de l'importance et, comme le souligne Cronbach (1975), les différences individuelles deviennent moins importantes. Cette approche s'inspire du modèle de Tyler (1950), selon lequel l'évaluation est une démarche visant à déterminer le degré d'atteinte, par les élèves, des objectifs éducatifs visés par un programme d'études et par l'enseignement qui en découle. Les caractéristiques personnelles ne constituent plus, ici, l'axe de référence de l'évaluation. Celle-ci fait alors référence à un *contenu fixe et externe à l'individu* : *les objectifs du programme d'études.* Une importance majeure sera accordée à la définition le plus opérationnelle possible des objectifs du programme d'études. Ceux-ci deviennent alors, pour plusieurs auteurs, le point de départ de toute démarche d'évaluation. Nombre d'auteurs reconnaissent dans cette approche l'influence du behaviorisme, selon lequel le tout peut être décomposé en plusieurs parties et, en conséquence, la somme des parties est égale au tout. Contrairement à la première approche où l'influence de l'enseignement semble être limitée, celle-ci donne une grande place à l'enseignement à qui il incombe de disséquer le contenu en parties susceptibles d'être mieux comprises par l'élève.

2.2 L'instrumentation

Les instruments de mesure développés dans le cadre de cette approche portent le nom de *mesure à interprétation critérielle,* c'est-à-dire des instruments qui fournissent des résultats directement interprétables en termes de standard de performance (Glaser et Nitko, 1971). Ces instruments sont préparés en conformité avec les objectifs du programme d'études et permettent de situer l'élève par rapport à ces objectifs, plus précisément par rapport à un domaine de tâches défini selon les spécifications des objectifs du programme d'études. La validité de l'interprétation des résultats du test dépend de la précision avec laquelle le domaine de tâches a été défini.

2.3 L'utilisation des résultats

Dans l'approche basée sur les objectifs de comportement prédéfinis, le résultat de l'élève s'exprime généralement sous une forme dichotomique (maîtrise et non-maîtrise, objectifs atteints et non atteints, etc.) en fonction d'un seuil préalablement déterminé. Ce seuil est représenté par un résultat qui permet de classer les élèves qui ont passé le test en deux catégories reflétant leur niveau de compétence relative à un objectif ou à l'ensemble des objectifs mesurés.

2.4 La prise de décisions

Les décisions qu'appuie cette approche concernent généralement le rattrapage (intervention corrective qui consiste à revoir avec l'élève les objectifs non atteints), la certification, la promotion à une autre classe ou le placement dans une autre unité d'apprentissage.

2.5 L'utilisation dans la pratique courante

Dans la pratique courante, l'approche basée sur les objectifs de comportement exigera de l'enseignant qu'il formule ou détermine les objectifs qui feront l'objet d'enseignement, les communique à l'élève et à ses parents et les planifie dans le temps. On s'attend à ce que les exercices, les travaux quotidiens et les examens soumis aux élèves soient en cohérence avec les objectifs déterminés qui ont fait l'objet d'enseignement.

Il est aussi demandé à l'enseignant de différencier, dans sa démarche d'évaluation, ses interventions d'ordre formatif de celles d'ordre sommatif. Cette distinction vise alors à mieux éclairer ses décisions vis-à-vis de l'élève. Les objectifs (atteints ou non) étant considérés comme le point de départ et l'aboutissement de l'évaluation, la note finale cède donc, théoriquement, la place à une liste d'objectifs en regard desquels l'enseignant indiquera, pour l'élève, le degré d'atteinte. Les bulletins descriptifs en usage dans certaines commissions scolaires en témoignent. Selon la recension des écrits, cette approche est celle qui est la plus répandue et la plus documentée.

2.6 La contribution au domaine d'études

Nous devons à cette approche les diverses recherches menées dans le domaine de la mesure du changement (l'apprentissage étant défini comme un changement de comportement produit chez l'individu). Cette approche se reflète aussi dans les recherches portant sur la pédagogie de la maîtrise selon laquelle les écoles pourront définir des objectifs standards et évaluer les élèves en fonction de la maîtrise de ces objectifs, indépendamment du temps mis par l'élève pour les maîtriser. Dans le contexte de cette approche, l'évaluation remplit deux fonctions : une *fonction formative* (Allal, 1983 ; Cardinet, 1991 ; Scallon, 1988) quand elle s'attache à aider l'élève dans l'atteinte des objectifs du programme d'études (intérêt pour les processus : analyse des stratégies d'apprentissage de l'élève et réajustement de l'enseignement, par exemple), et une *fonction sommative* quand le but de l'évaluation concerne la promotion et la certification des élèves (intérêt pour le produit de l'apprentissage).

3 L'évaluation basée sur une approche écologique

3.1 Les fondements

Cette approche de l'évaluation des apprentissages tient compte des activités et des relations interpersonnelles qui se déroulent dans l'environnement éducatif où se fait l'apprentissage de l'élève. Pour Bronfenbrenner (1976), l'écologie du développement de la personne se fait dans un environnement constitué de quatre sous-systèmes :

- le *microsystème* est représenté par le milieu immédiat où se déroulent les relations, rôles et activités qui influencent le développement de la personne (l'élève et sa classe, par exemple) ;
- le *mésosystème,* externe au premier milieu, est fréquenté par la personne et, en conséquence, influence les activités, rôles et relations qui se déroulent dans le microsystème (les rôles, activités et interrelations qui existent dans le milieu familial de l'élève, par exemple) ;
- l'*exosystème,* milieu que ne fréquente pas la personne, exerce, de façon bien indirecte, une certaine influence sur les activités, rôles et relations interpersonnelles qui se passent dans le microsystème (les politiques et les règlements de la commission scolaire, par exemple) ;
- le *macrosystème* est constitué des idéologies et des valeurs de la société donnée.

Dans ce même ordre d'idées, Legendre (1983) définit un modèle systémique de la situation pédagogique selon lequel l'apprentissage est fonction des caractéristiques personnelles du sujet, de la nature et du contenu des objectifs, de la qualité d'assistance de l'agent et des influences du milieu éducationnel.

Bien qu'il existe des différences méthodologiques entre le modèle de Bronfenbrenner et celui de Legendre, nous retenons ici, d'une part, l'importance de l'environnement dans le développement de la personne et la définition d'un tel environnement. L'évaluation des apprentissages, dans une approche écologique, s'intéressera à l'ensemble des variables environnementales qui influencent l'apprentissage de l'élève. Nous dirons qu'*une évaluation est dite écologique lorsqu'elle cherche à déterminer simultanément l'influence des variables du microsystème et celle des variables du mésosystème, à tout le moins, sur les apprentissages de l'élève, en vue de prendre des décisions pédagogiques.*

Cette approche s'inspire du constructivisme social, selon lequel l'apprentissage est un processus actif, constructif et graduel au cours duquel l'individu intègre du matériel nouveau à ses connaissances antérieures afin de créer de nouvelles significations ou de nouvelles idées (Gerlach, 1994; Smith et McGregor, 1992; Tardif, 1992). Ainsi, l'apprentissage se déroule dans un contexte social (communication et interaction) caractérisé, entre autres, par la diversité des expériences et des connaissances antérieures des différents acteurs (Gerlach, 1994). Dans une telle approche, la participation de l'individu à son évaluation devient une dimension importante.

Notons que les variables auxquelles s'intéressera l'évaluation dite écologique ont déjà été étudiées et mesurées, de façon généralement isolée, par plusieurs chercheurs. Il s'agira ici de les regrouper et de les utiliser de façon simultanée afin d'arriver à de meilleures décisions pour le développement de l'élève. Bien que ces variables soient nombreuses, il conviendra de les choisir en tenant compte, d'une part, de leurs incidences sur l'apprentissage dans la classe et, d'autre part, des exigences pratiques pour la conduite d'une telle évaluation.

Parmi ces variables, nous pouvons citer :

- les variables liées à l'élève (rendement scolaire antérieur et actuel, stratégies d'apprentissage, développement affectif et social, etc.) ;
- les variables liées au contenu d'apprentissage (nature, importance et difficulté du contenu, etc.) ;
- les variables liées à la relation d'enseignement (approches pédagogiques, moyens et matériel didactiques, etc.) ; les variables liées à l'environnement de classe (relations interpersonnelles élève–élèves ou élèves–enseignant, environnement physique tel que l'aménagement, etc.) ;
- les variables liées à la famille (rôles, activités et relations interpersonnelles dans la famille).

Nous croyons que les propositions avancées par les chercheurs, comme Shepard (1989) ou Wiggins (1990), pour une évaluation en situation authentique et pour une évaluation qui cible les compétences nécessaires à l'élève en vue d'accomplir efficacement son rôle dans la société, participent à cette approche d'évaluation.

3.2 L'instrumentation

L'instrumentation nécessaire pour mettre en œuvre une telle approche de l'évaluation est multiple et variée. Nous pouvons citer, entre autres, l'observation, l'entrevue individuelle, les sociogrammes, les dossiers anecdotiques, les tests portant sur les stratégies cognitives et les habiletés affectives, le portfolio et les examens traditionnels. Ceux-ci seront revus en tenant compte de la performance de l'élève à réaliser des tâches dans des situations qui reflètent la réalité de la vie extrascolaire.

Cette approche implique, comme le suggère Cardinet (1979) pour l'évaluation dite élargie, que « le point de vue subjectif des participants et la vision propre de leur situation soient pris en compte et acceptés comme objets d'étude valables ». Dans ce contexte, l'autoévaluation de l'élève et les informations apportées par les personnes concernées (élève, parents, orthopédagogue, etc.) seront considérées comme des sources d'évidences assez pertinentes.

3.3 L'utilisation des résultats

Dans cette approche qui tient compte des multiples dimensions du développement de la personne, on tend à exprimer les résultats de l'élève sous forme de profils (profil du fonctionnement de l'élève, profil de compétence, profil de performance, etc.) tout en tenant compte des effets du contexte sur ces résultats. Un profil de compétence, par exemple, présenterait les résultats de l'évaluation en donnant, d'un seul coup d'œil, à la fois les compétences acquises, les compétences en développement et les compétences non réalisées par l'élève.

3.4 La prise de décisions

Dans cette approche, les décisions tiendront compte des compétences acquises ou en voie de développement chez l'élève et du contexte susceptible de favoriser le développement maximal de l'élève.

3.5 L'utilisation dans la pratique

Nous devons souligner que la pratique de cette approche de l'évaluation des apprentissages n'est pas généralisée. Une raison à cela concerne le fait qu'elle risque de laisser une trop grande part à la subjectivité. Une autre raison pourrait expliquer la difficulté de systématiser une telle approche : il s'agit d'un nouveau modèle qui fait actuellement l'objet de recherches et qui porte les chercheurs à revoir les pratiques dominantes actuelles. De plus, cette approche est beaucoup plus exigeante pour l'enseignant compte tenu du temps qu'il doit y investir et de la compétence qu'il doit acquérir pour l'adopter.

Toutefois, on peut observer une forme d'application de cette approche de l'évaluation dans « le bilan fonctionnel ou plan d'intervention personnalisé (PIP) » proposé par le MEQ et utilisé dans plusieurs organismes scolaires. Soulignons cependant que cette application reste limitée aux élèves qui éprouvent des difficultés d'apprentissage et d'adaptation scolaire. Selon ce plan, l'enseignant, l'orthopédagogue, le psychologue de l'école et les parents, par exemple, mettent ensemble leur vision du fonctionnement de l'élève afin d'arriver à décider du type d'intervention pédagogique ou éducative la mieux appropriée pour les besoins éducatifs.

3.6 La contribution au domaine d'études

Cette approche fait présentement l'objet de nombreuses études qui portent sur la mesure des performances complexes, l'évaluation en situation authentique et l'évaluation des compétences. Nous reviendrons plus en détail sur cette approche au chapitre traitant de l'évaluation en situation authentique.

Mise en pratique

Questionnaire sur les croyances à l'égard de l'évaluation des apprentissages

Voici une liste d'énoncés de croyances portant sur l'évaluation des élèves. Lisez-les attentivement et indiquez dans quelle mesure ces énoncés correspondent ou non à vos propres croyances, selon l'échelle de 1 à 5 ci-dessous. Encerclez, vis-à-vis de chaque énoncé, le chiffre qui représente le mieux votre position relativement à l'énoncé. Nous tenons à préciser qu'il n'y a pas de bonne ou de mauvaise réponse. L'important, c'est de connaître votre position par rapport à chaque énoncé.

Lorsque vous aurez terminé de remplir le questionnaire, définissez votre position dominante à l'égard de l'évaluation des apprentissages et répondez aux questions suivantes.

a) Quelles sont vos croyances dominantes à l'égard des apprentissages ?
b) Expliquez en quoi les résultats obtenus reflètent vos croyances à l'égard de l'évaluation des apprentissages.

Légende

Fortement en désaccord	**1**	Indécis ou indécise	**3**	Plutôt d'accord	**4**
Plutôt en désaccord	**2**			Totalement en accord	**5**

1.	Je crois que, dans une classe, il y a des élèves brillants qui réussiront et des élèves moins brillants qui ne réussiront pas.	1	2	3	4	5
2.	Je crois que les élèves ont besoin de se situer les uns par rapport aux autres, et qu'il faut donc développer chez eux le sens d'une saine compétition.	1	2	3	4	5
3.	Je crois que les différences dans les capacités intellectuelles des élèves expliquent les inégalités de réussite scolaire.	1	2	3	4	5
4.	Je crois qu'évaluer l'apprentissage d'un élève, c'est avant tout le situer par rapport aux normes acceptées par une société donnée.	1	2	3	4	5
5.	Je crois que la qualité de l'enseignement et de l'apprentissage dépend de la clarté avec laquelle les objectifs sont formulés.	1	2	3	4	5
6.	Je crois que le choix des objectifs de l'enseignement est le point de départ de toute évaluation.	1	2	3	4	5
7.	Je crois que, pour bien évaluer, il est important d'avoir des objectifs clairement définis.	1	2	3	4	5
8.	Je crois que chaque élève est unique ; en conséquence, l'évaluation des apprentissages doit être personnalisée, adaptée à chaque élève.	1	2	3	4	5
9.	Je crois qu'il faut développer une approche de l'évaluation qui tienne compte de chaque enfant et de son interaction avec son environnement.	1	2	3	4	5
10.	Je crois que l'évaluation des apprentissages d'un élève doit tenir compte de son habileté, de sa motivation et de ses résultats antérieurs.	1	2	3	4	5
11.	Je crois que les tests et les examens sont insuffisants pour évaluer les apprentissages d'un élève.	1	2	3	4	5
12.	Je crois que les tests standardisés sont importants dans les écoles.	1	2	3	4	5
13.	Je crois que la moyenne des notes obtenues par un élève donne une bonne indication de son rendement scolaire.	1	2	3	4	5

14.	Je crois qu'évaluer, c'est avant tout vérifier si les objectifs du programme sont atteints par les élèves.	1	2	3	4	5
15.	Je crois que les résultats scolaires des élèves doivent être exprimés en termes d'objectifs réussis.	1	2	3	4	5
16.	Je crois que les notes exprimées en pourcentage ou par une lettre doivent être remplacées par des symboles indiquant si l'élève a atteint ou non les objectifs du programme d'études.	1	2	3	4	5
17.	Je crois que la meilleure façon d'évaluer un élève, c'est de l'observer en classe, en interaction avec la matière et avec les autres élèves de la classe.	1	2	3	4	5
18.	Je crois que pour évaluer les apprentissages d'un élève il suffit de l'observer en classe.	1	2	3	4	5
19.	Je crois que l'évaluation doit comprendre la description et l'analyse de l'environnement dans lequel est placé l'élève.	1	2	3	4	5
20.	Je crois que les résultats de l'évaluation de l'élève doivent être traduits en termes de qualité plutôt qu'en termes de quantité.	1	2	3	4	5
21.	Je crois que la division des programmes d'études en objectifs facilite grandement l'évaluation.	1	2	3	4	5
22.	Je crois que les résultats des évaluations ne doivent pas être formulés en utilisant des notes, mais plutôt sous forme d'objectifs réussis par l'élève.	1	2	3	4	5
23.	Je crois qu'évaluer, c'est situer l'élève par rapport aux objectifs du programme d'études.	1	2	3	4	5
24.	Je crois qu'il n'y a pas d'évaluation objective sans une détermination claire des objectifs de l'enseignement.	1	2	3	4	5
25.	Je crois que l'évaluation ne doit pas sanctionner la réussite ou l'échec d'un élève, mais plutôt aider à comprendre le processus d'apprentissage de l'élève.	1	2	3	4	5
26.	Je crois que le jugement de l'enseignant, même s'il est subjectif, est préférable au résultat d'un test.	1	2	3	4	5
27.	Je crois que situer l'élève en fonction du groupe est une bonne façon de rendre l'évaluation équitable.	1	2	3	4	5
28.	Je crois que les notes situant l'élève par rapport au groupe jouent un rôle important pour motiver les élèves à apprendre.	1	2	3	4	5

Légende

Fortement en désaccord	**1**	Indécis ou indécise	**3**	Plutôt d'accord	**4**
Plutôt en désaccord	**2**			Totalement en accord	**5**

29.	Je crois que la façon la plus impartiale d'évaluer les élèves, c'est d'utiliser des résultats obtenus par des tests administrés à tous les élèves en même temps.	1	2	3	4	5
30.	Je crois que le bulletin scolaire qui situe l'élève par rapport au groupe répond bien aux besoins des parents et des autres enseignants.	1	2	3	4	5
31.	Je crois que comparer la performance de l'élève par rapport à celle des autres élèves de la classe est à la fois humain et essentiel pour l'individu et la société.	1	2	3	4	5
32.	Je crois que les notes exprimant la position de l'élève par rapport au groupe sont un indicateur fiable du rendement scolaire de l'élève.	1	2	3	4	5
33.	Je crois que les notes indiquant la position de l'élève par rapport au groupe prédisent assez bien la réussite scolaire de l'élève pour la prochaine année.	1	2	3	4	5
34.	Je crois que la moyenne du groupe auquel appartient l'élève est un renseignement utile pour les parents et les élèves.	1	2	3	4	5
35.	Je crois que situer l'élève en fonction du groupe est une bonne façon de rendre objective l'évaluation.	1	2	3	4	5
36.	Je crois qu'il n'y a pas d'évaluation objective sans une précision du programme d'études quant aux comportements observables.	1	2	3	4	5
37.	Je crois que la promotion d'un élève à une classe supérieure doit se faire en fonction du nombre d'objectifs réussis par l'élève.	1	2	3	4	5
38.	Je crois que l'enseignant qui ne suit pas les objectifs du programme d'études peut difficilement faire une bonne évaluation des apprentissages de l'élève.	1	2	3	4	5
39.	Je crois que l'évaluation doit consister en une appréciation du degré d'atteinte des objectifs du programme par les élèves.	1	2	3	4	5
40.	Je crois que l'évaluation doit porter sur les conditions d'apprentissage de l'élève.	1	2	3	4	5

41. Je crois que, pour évaluer l'apprentissage, il faut être capable de décrire la situation dans laquelle se déroule l'apprentissage.	1	2	3	4	5
42. Je crois qu'il faut accorder une place importante à l'évaluation que l'élève fait lui-même de son apprentissage.	1	2	3	4	5
43. Je crois que l'évaluation que l'élève fait lui-même de son apprentissage est importante.	1	2	3	4	5

Tableau 5.1 **Calcul de votre score pour chacune des dimensions du test**

Inscrivez à la droite de chaque question le chiffre correspondant à votre position. Additionnez votre résultat pour chaque colonne et divisez ce dernier par le nombre indiqué au bas de la colonne. La dimension dominante est celle où le score final se situe entre 3,5 et 5,00.

DIMENSION 1 Centrée sur les différences individuelles		DIMENSION 2 Centrée sur les objectifs		DIMENSION 3 Centrée sur la personne	
Questions	**Réponses**	**Questions**	**Réponses**	**Questions**	**Réponses**
Q1		Q5		Q8	
Q2		Q6		Q9	
Q3		Q7		Q10	
Q4		Q14		Q11	
Q12		Q15		Q17	
Q13		Q16		Q18	
Q27		Q21		Q19	
Q28		Q22		Q20	
Q29		Q23		Q25	
Q30		Q24		Q26	
Q31		Q36		Q40	
Q32		Q37		Q41	
Q33		Q38		Q42	
Q34		Q39		Q43	
Q35		—		—	
Total : ___ ÷ 15 = ___		Total : ___ ÷ 14 = ___		Total : ___ ÷ 14 = ___	

Chapitre 6

L'instrumentation et ses fondements dans les approches traditionnelles

Nous regroupons sous le vocable « approches traditionnelles » les instruments dont le processus d'élaboration et d'interprétation des résultats est fortement inspiré soit de l'approche psychométrique, soit de l'approche basée sur les comportements prédéfinis. Ces deux approches nous ont fourni deux cadres de référence distincts pour élaborer un instrument de mesure : la mesure normative et la mesure critériée que nous avons définies au chapitre précédent. La grande différence entre ces deux cadres de référence porte sur la façon de choisir les questions et d'interpréter les résultats. Nous retiendrons ces deux opérations (choix des questions et interprétation des résultats) pour distinguer l'instrumentation liée à ces deux cadres de référence. Rappelons que dans la mesure normative les questions sont choisies en fonction de leur capacité à différencier les élèves forts des élèves faibles. Le résultat obtenu par un élève sera interprété en fonction des résultats du groupe-norme (moyenne de la classe, courbe normale, etc.).

1 Le choix des questions de l'examen dans la mesure normative

Dans la mesure normative, le choix des questions se fait normalement à partir d'un tableau de spécifications. Il s'agit d'un tableau à double entrée présentant les notions enseignées retenues pour l'évaluation et les niveaux des habiletés intellectuelles que viseront les questions. Les habiletés intellectuelles renvoient généralement aux grandes catégories du domaine cognitif telles que les a formulées Bloom. Le tableau 6.1 donne un exemple d'un tableau de spécifications pour un examen de 100 questions.

Tableau 6.1 **Exemple d'un tableau de spécifications**

		Habiletés intellectuelles (d'après Bloom)			
Notions	**Importance relative**	**Connaissance 10 %**	**Compréhension 80 %**	**Application 10 %**	**Total**
Notion 1	20 %	2 questions	16 questions	2 questions	20 questions
Notion 2	40 %	4 questions	32 questions	4 questions	40 questions
Notion 3	20 %	2 questions	16 questions	2 questions	20 questions
Notion 4	20 %	2 questions	16 questions	2 questions	20 questions
Total	100 %	10 questions	80 questions	10 questions	100 questions

Le tableau de spécifications préparé avant l'élaboration des questions permet de tenir compte, au moment de l'évaluation, de l'importance relative des notions enseignées et des habiletés intellectuelles auxquelles renvoient les questions. Ainsi, dans notre exemple, la notion 2 (40 %) est la plus importante en ce qui concerne le contenu d'apprentissage. Par ailleurs, pour ce qui est des habiletés intellectuelles, la compréhension est, dans cet examen, la plus importante (80 % des questions portent sur cette habileté).

1.1 L'interprétation des résultats dans la mesure normative

Comme nous l'avons souligné, les résultats sont généralement exprimés sous forme d'un score total formé par l'addition des résultats obtenus pour chaque question. Le score obtenu est interprété en fonction des indices issus de la courbe normale ou d'un groupe-norme tel que la moyenne de la classe.

2 Le choix des questions de l'examen dans la mesure critériée

Dans la mesure critériée, l'intérêt porte sur la réussite d'une tâche par l'élève sans égard à la performance des autres élèves de la classe. En choisissant une telle perspective, nous perdons un moyen (la performance du groupe) pour comparer les résultats obtenus par l'élève. Alors, la définition d'un domaine de tâches devient le moyen permettant d'interpréter le résultat de l'élève. En d'autres termes, en délimitant un domaine de tâches le plus exhaustif possible, il devient possible de choisir un échantillon de tâches assez représentatif du domaine et de le soumettre à l'élève. Par exemple, pour un objectif donné, nous cherchons à présenter à l'élève un ensemble de tâches liées à un objectif d'apprentissage et qui nous permettent de croire que leur réussite par l'élève garantit l'atteinte de l'objectif concerné. On parle alors de *définition de domaine.* Il existe toutefois plusieurs façons de définir le domaine de tâches. Par exemple, la technique des facettes permet, pour un objectif donné, de prévoir les diverses facettes que pourrait prendre une tâche donnée (*voir la figure 6.1*).

Le croisement des facettes permet d'obtenir les dimensions possibles des tâches à soumettre aux élèves. Par exemple, une dimension peut être définie par A2, B2, C2, D1 et E4. Cette dimension permet d'observer l'élève lorsqu'il lance un ballon en situation dynamique à un autre élève en mouvement. Le lancer se fait sur une courte distance, et il y aurait un obstacle

Objectif d'apprentissage	« Lancer un objet à un autre élève en tenant compte de ses capacités de recevoir[1]. »
Définition du domaine	**Facette A : position du lanceur** A1. Position statique A2. Position dynamique
	Facette B : position du receveur B1. Position statique B2. Position dynamique
	Facette C : sorte d'objet C1. Une balle C2. Un ballon C3. Autre objet (à définir)
	Facette D : distance entre le lanceur et le receveur D1. Courte distance (1 à 2 m) D2. Moyenne distance (2 à 10 m) D3. Grande distance (10 m et plus)
	Facette E : contexte d'exécution E1. Aucun obstacle entre le lanceur et le receveur E2. Obstacle proche du lanceur uniquement E3. Obstacle proche du receveur uniquement E4. Obstacle près des deux

Figure 6.1 **Exemple de définition de domaine : technique des facettes**

entre les deux joueurs. Bien sûr, il est difficile d'évaluer l'élève en tenant compte de toutes les dimensions du domaine défini. Il s'agit pour l'évaluateur de déterminer la ou les dimensions qui permettent de conclure que l'élève a atteint l'objectif concerné. Cette technique peut s'appliquer à d'autres matières scolaires.

Nous devons souligner qu'une telle définition de domaine prend en considération un objectif spécifique. Certaines définitions de domaine s'adressent plutôt à l'ensemble du programme d'études. La définition de domaine adoptée par le MEQ dans les programmes d'études en vue d'élaborer les examens de certification en est un exemple (*voir le tableau 6.2, page 54*).

1. L'objectif est extrait d'un programme d'études d'éducation physique au primaire.

Tableau 6.2 **Tableau des dimensions : exemple de définition de domaine adoptée par le MEQ (programme d'éducation économique de la cinquième secondaire)**

<table>
<tr><th rowspan="2">Connaissance / Habileté</th><th rowspan="2">Fondements de l'organisation d'une économie mixte (15 %)</th><th colspan="2">Production (30 %)</th></tr>
<tr><th>Ressources humaines</th><th>Entreprises</th></tr>
<tr><td rowspan="2">DÉCRIRE (30 %)</td><td>D1
– la rareté
– la fixation des prix et des salaires : économie de marché et économie collectiviste</td><td>D4
– la population active
– le syndicalisme</td><td>D6
– le financement
– la taille
– le fonctionnement</td></tr>
<tr></tr>
<tr><td rowspan="2">ANALYSER (40 %)</td><td rowspan="2">D2
– la rareté
– la fixation des prix et des salaires : économie de marché et économie collectiviste</td><td>D5
– la population active
– le syndicalisme</td><td>D7
– le financement
– la taille
– le fonctionnement</td></tr>
<tr><td colspan="2">D8</td></tr>
<tr><td>RÉSOUDRE UN PROBLÈME (30 %)</td><td>D3
– la rareté
– la fixation des prix et des salaires : économie de marché et économie collectiviste</td><td></td><td>D9
– le financement
– la taille
– le fonctionnement</td></tr>
</table>

On observe, dans l'exemple du tableau 6.2, une certaine similitude avec le tableau de spécifications que nous avons présenté dans la section sur la mesure normative (*voir le tableau 6.1, page 51*). En effet, sous « Connaissance » nous retrouvons les « notions » du tableau de spécifications. Cependant, les habiletés nommées ici font référence non pas au domaine cognitif de Bloom, mais aux habiletés spécifiques visées par le programme d'éducation économique. De plus, les dimensions (D1, D2, etc.) précisent les connaissances particulières qui seront prises en considération au moment de l'élaboration de l'examen ainsi que l'habileté intellectuelle qui devra être mise en œuvre par l'élève pour réussir la question. Par exemple, pour la

Consommation (25 %)		Rôle de l'État (20 %)	Relations économiques internationales (10 %)
Affectation du revenu	Crédit		
		D14 – l'affectation des revenus de l'État	D17 – les pays en voie de développement
		D15 – l'État législateur	
D10 – les dépenses – l'épargne – le rôle des institutions financières	D12 – l'usage – l'endettement – le rôle des institutions financières	D16 – l'État stabilisateur	D18 – les fondements
D11 – les dépenses – l'épargne – le rôle des institutions financières	D13 – l'usage – l'endettement – le rôle des institutions financières		D19 – les fondements

dimension D6 on élaborera des questions qui portent l'élève à *décrire* le *financement,* la *taille* et le *fonctionnement* des *entreprises.*

2.1 L'interprétation des résultats dans la mesure critériée

Comme nous l'avons mentionné, la mesure critériée est élaborée dans la perspective d'évaluer l'atteinte des objectifs d'apprentissage par l'élève sans égard à la performance des autres élèves. En principe, les résultats devraient montrer les tâches (ou objectifs) réussies et non réussies par l'élève. Certains

Résultats obtenus par Jean S.

Objectifs mesurés	Questions réussies	Maîtrise
Objectif 1	3 sur 4	Oui
Objectif 2	1 sur 3	Non
Objectif 3	3 sur 5	Oui

Figure 6.2 **Exemple d'interprétation des résultats dans la mesure critériée**

auteurs ont recommandé l'utilisation des catégories de type « maîtrise » et « non-maîtrise » pour décrire la position de l'élève par rapport à l'objectif mesuré. Cette catégorisation se fait généralement à partir d'un seuil de réussite fixé par l'évaluateur et connu des élèves. Si, par exemple, on mesure un objectif par quatre questions, il faudra déterminer le nombre de questions que l'élève doit réussir pour déclarer que l'objectif est atteint (maîtrise) ou non atteint (non-maîtrise). Les résultats pourraient prendre la forme illustrée dans la figure 6.2.

Nous venons de voir les deux façons d'élaborer un instrument de mesure et d'interpréter les résultats qui en découlent. Il faut souligner que dans la pratique courante les deux façons se trouvent souvent imbriquées pour former un modèle plutôt éclectique. Par exemple, dans certaines pratiques d'évaluation qui se réclament de la mesure critériée, on peut trouver des catégorisations plutôt polychotomiques de type « dépasse les exigences — maîtrise — maîtrise avec aide — ne maîtrise pas ». On peut se demander si ces catégorisations ne cherchent pas à recréer les normes dont on voulait se débarrasser en choisissant une mesure critériée. De plus, le contexte social de la classe invite souvent l'enseignant à recourir à des normes de groupe (élèves forts, élèves moyens, élèves faibles) pour trouver une explication aux phénomènes d'apprentissage.

3 Les instruments de mesure dans l'approche traditionnelle

Que la mesure soit normative ou critériée, les questions qui composent les instruments généralement utilisés peuvent se classer en deux grandes catégories : les *questions à choix de réponses* et les *questions à réponse élaborée* ou questions à développement.

3.1 Les questions à choix de réponses

Il s'agit des questions qui demandent à l'élève soit de trouver la bonne réponse parmi plusieurs réponses proposées (questions à choix multiple), soit d'indiquer par « V » ou par « F » si un énoncé est vrai ou faux. Il existe des règles précises pour la construction des questions de cette catégorie. Plusieurs ouvrages (Bernard et Fontaine, 1982 ; Morissette, 1984) traitent en profondeur des règles de rédaction des diverses formes de questions à choix de réponses. Nous nous limiterons ici à présenter la forme générale de telles questions et quelques règles à respecter.

3.1.1 Forme générale des questions à choix multiple

Les questions à choix multiple comprennent un *énoncé, une seule bonne réponse* et *un choix de quelques réponses,* qu'on appelle *leurres,* au nombre de trois ou quatre. De façon générale, dans un examen, le nombre de choix de réponses est constant. On ajoute finalement une consigne de réponse afin d'indiquer à l'élève s'il doit répondre directement sur le questionnaire en encerclant la bonne réponse ou s'il doit faire une coche sur une feuille mécanographique pouvant être lue par un lecteur optique.

Voici quelques règles de rédaction des questions à choix multiple.

- L'énoncé présente un seul problème à résoudre.
- L'énoncé utilise un langage simple et clair.
- L'énoncé est composé de tous les mots essentiels à sa compréhension.
- L'énoncé est composé, autant que possible, à la forme positive et interrogative.
- La bonne réponse est incontestablement exacte et la seule possible parmi le choix de réponses.
- La bonne réponse est de même longueur que les autres réponses, elle n'est ni plus explicite ni mieux construite.
- Tout au long d'un examen, la bonne réponse varie de place de façon aléatoire.
- Les choix de réponses sont homogènes dans leur contenu, leur forme et leur structure grammaticale.
- Les choix de réponses sont placés soit par ordre numérique croissant, soit par ordre alphabétique.
- Tous les leurres sont plausibles, mais faux. L'enseignant peut s'inspirer des réponses des élèves à ses questions comme leurres possibles.
- Les formulations *toutes ces réponses* et *aucune de ces réponses* sont à proscrire. Elles ne mesurent aucun apprentissage valable et ne respectent pas les règles de rédaction des questions à choix de réponses.
- Les réponses des élèves doivent être analysées afin de corriger soit les énoncés défectueux, soit les apprentissages non maîtrisés. (Dans la dernière partie du présent chapitre, nous traiterons de l'analyse des questions à choix de réponses et à réponse élaborée afin de dépister ces lacunes.)

3.1.2 Forme générale des questions par vrai ou par faux

Enfin, les *questions par vrai ou par faux* ne devraient être utilisées que si elles exigent une justification de la réponse. De cette façon, on s'assure de la compréhension des élèves et non de leur capacité à choisir une *bonne réponse fausse.* De plus, on évite que l'élève n'enregistre de fausses informations. Sinon, la seule certitude que l'on ait, avec ce genre de questions, c'est que l'élève peut déterminer qu'un énoncé est faux, mais on ne peut être certain qu'il connaît la réponse exacte. De telles questions devraient, plus souvent qu'autrement, être qualifiées de pièges plutôt que d'être considérées comme une vérification d'apprentissages significatifs.

3.2 Les questions à réponse élaborée

Dans la catégorie des questions à réponse élaborée se trouvent les questions qui demandent à l'élève de construire, de fournir ou d'élaborer sa propre réponse. Généralement, ces questions présentent à l'élève :

- une *mise en situation* (énoncé du contexte ou de la situation qui justifie la question posée) ;
- la *question* proprement dite ;
- les *caractéristiques de la réponse attendue et les critères retenus pour déterminer les bonnes réponses* (informations permettant à l'élève de délimiter sa réponse et de juger de l'efficacité de ses réponses) ;
- la *grille de correction* (grille destinée au correcteur, qui doit être préparée avant l'examen et qu'on ne remet pas à l'élève).

La figure 6.3 donne un exemple d'une question à réponse élaborée.

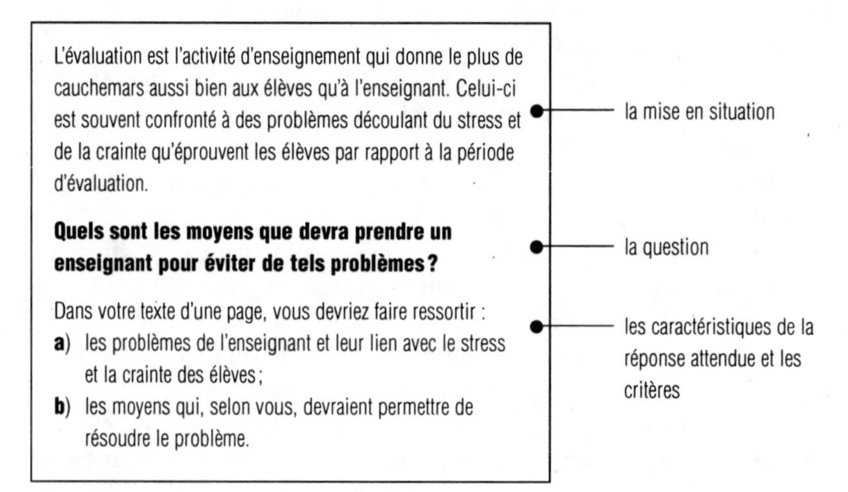

Figure 6.3 **Exemple d'une question à réponse élaborée**

Voici quelques règles de rédaction des questions à réponse élaborée. Dans l'établissement du contenu d'une question à réponse élaborée, il faut tenir compte des aspects suivants.

- L'énoncé formule une question précise.
- L'énoncé mesure un objectif d'apprentissage important.
- L'énoncé est composé de tous les mots essentiels à sa compréhension.
- L'enseignant doit élaborer la réponse attendue afin d'en estimer la difficulté et le temps de réponse.
- L'enseignant doit établir des critères précis de correction et attribuer la pondération.
- L'enseignant doit analyser les réponses des élèves afin de vérifier la qualité de ses questions ainsi que les apprentissages réalisés afin de corriger son enseignement ou les questions elles-mêmes.

Dans les pages qui suivent, nous traiterons des avantages et des inconvénients des deux types de questions et nous présenterons une taxonomie des questions d'examen, avec des exemples variés provenant de diverses disciplines enseignées soit au primaire, soit au secondaire. Enfin, nous aborderons une méthodologie propre à l'analyse des questions d'examen, qui permet de détecter les items défectueux et de les corriger au besoin.

3.3 Les avantages et les limites des questions à choix de réponses et des questions à réponse élaborée

Les questions à choix de réponses sont souvent considérées comme des *questions à correction objective* puisqu'elles peuvent être corrigées mécaniquement, sans faire appel au jugement du correcteur. De ce fait, leur fidélité sera bonne et elles assureront une meilleure objectivité dans la prise des décisions basées sur les résultats obtenus à partir de tels instruments.

Dans le cas des questions à réponse élaborée, les réponses des élèves ne peuvent pas être corrigées de façon mécanique. La correction fait intervenir le jugement du correcteur. Plusieurs études ont été faites pour cerner les biais qui peuvent affecter le résultat de l'élève à un examen de ce type. Voici quelques biais que l'on risque de rencontrer dans la correction d'examens à réponse élaborée.

- *Position de la copie dans la pile.* La note obtenue par l'élève peut être affectée par la note accordée à la copie précédente.
- *Fatigue du correcteur.* La correction d'une copie peut varier en fonction de la fatigue du correcteur.
- *Effet de halo.* Ce que le correcteur connaît déjà de l'élève peut influencer la note qu'il lui accorde.
- *Attentes ou critères émergeants.* En corrigeant les copies, le correcteur peut avoir tendance à appliquer de nouveaux critères qui prennent naissance durant la correction des copies.

- *Personnalité du correcteur.* Certains correcteurs sont portés à être sévères ou laxistes dans leur façon de corriger. D'autres sont portés à se limiter à la note de passage ou à accorder leurs notes au centre de l'échelle de notation.

Il existe divers moyens pour éviter que ces biais n'influencent le résultat obtenu par l'élève, dont les suivants.

- On élabore une grille de correction qui soit le plus précise possible.
- On forme les correcteurs afin qu'ils utilisent la grille de correction de la façon le plus uniforme possible.
- On remet aux correcteurs des copies d'élèves non identifiés pour éviter qu'ils ne soient influencés par leur connaissance de l'élève.
- Plusieurs correcteurs notent chaque copie lorsque la décision à prendre exige une bonne fidélité ou la constance des résultats d'un correcteur à l'autre.

Devant ces exigences et ces contraintes, il est facile de comprendre la grande popularité dont jouissent les examens utilisant des *questions à choix de réponses.* Cette popularité peut aussi s'expliquer par le fait que l'on peut mesurer, par ce moyen, l'ensemble des apprentissages d'un cours dans un temps raisonnable. Dans un tel examen, on pourrait facilement poser une centaine de questions aux élèves dans un temps équivalant à une période réservée à l'enseignement d'une matière et toucher ainsi à presque toutes les notions étudiées en classe. Par contre, avec un examen présentant des *questions à réponse élaborée,* il est presque impossible de poser des questions qui touchent à l'ensemble des notions vues en classe compte tenu du temps disponible pour l'examen. En d'autres termes, pour un examen d'une heure, par exemple, on peut poser beaucoup plus de questions à choix de réponses que de questions à réponse élaborée.

Il faut cependant souligner que les *questions à choix de réponses* présentent de sérieuses limites.

- Ces questions font souvent appel à des niveaux intellectuels moins élevés, comme la mémorisation d'un concept, d'une règle, d'une loi ou de faits.
- De telles questions amoindrissent souvent l'importance de l'apprentissage visé.
- Ce type de questions ne fait pas appel à la capacité d'expression de l'élève puisque celui-ci n'a qu'à identifier la bonne réponse à partir d'un ensemble de réponses fournies.
- La bonne réponse de l'élève peut être due à un choix fait au hasard.
- Il est reconnu que le plagiat est très répandu avec ce type de questions.

De leur côté, les *questions à réponse élaborée* demandent à l'élève de structurer sa propre réponse et, de ce fait, permettent de mesurer des habiletés supérieures, comme sa capacité de raisonnement, de synthèse, de jugement et de créativité.

4 La taxonomie des questions d'examen

Snow (1993) considère que les questions à choix de réponses et celles que nous nommons ici « questions à réponse élaborée » appartiennent toutes à une seule et même famille. Selon lui, quel que soit le type de questions, l'élève doit construire une réponse, et la différence entre une question à choix de réponses et une question à réponse élaborée réside dans le degré d'élaboration que la question impose à l'élève et dans les structures mentales que le type de question sollicite chez l'élève. Snow propose une taxonomie des questions à partir d'un *continuum* allant de questions à choix de réponses à des questions à réponse élaborée de type « réalisation d'un projet d'équipe ». Bien que l'auteur souligne que cette taxonomie est provisoire et que des recherches doivent être menées afin de la valider, nous nous référons à ses travaux pour adapter et classifier les différents types de questions en insistant sur la tâche demandée à l'élève et en illustrant chaque type par des exemples[2].

Avant de présenter la taxonomie de Snow, soulignons que *le niveau de difficulté d'une question peut varier en fonction du niveau scolaire des élèves.*

4.1 Les niveaux taxonomiques

Le **premier niveau** concerne les questions à choix de réponses qui invitent l'élève à *choisir une réponse* parmi le choix proposé. Idéalement, l'élève qui connaît la bonne réponse n'a qu'à l'indiquer.

Exemples

1. Quelle est la capitale du Canada ? Encercle la lettre correspondant à la bonne réponse.
   a) Montréal
   b) Ottawa*[3]
   c) Québec
   d) Vancouver

2. Les exemples des pages suivantes, qui servent à illustrer les différents niveaux de la taxonomie de Snow, ont été empruntés, avec leur permission, aux étudiantes et aux étudiants inscrits, à l'automne 1997, à la deuxième année du baccalauréat en éducation en enseignement secondaire à l'Université de Montréal. Ces exemples, parfois légèrement remaniés, proviennent de leurs travaux. Nous tenons à remercier ces étudiants de leur collaboration.
3. Dans les exemples, l'astérisque indique la bonne réponse.

2. Lequel des écrivains suivants est l'auteur du livre intitulé *Les misérables* ? Encercle la lettre correspondant à la bonne réponse sur la feuille de lecteur de marques.
   a) Honoré de Balzac
   b) Alphonse Daudet
   c) Victor Hugo*
   d) Paul Valéry
3. Quel est le nom du village natal de Jésus ? Encercle la lettre correspondant à la bonne réponse.
   a) Bethléem*
   b) Cana
   c) Jérusalem
   d) Nazareth
4. Résous le problème suivant : $3 + 4 + 2 = \square$. Encercle la lettre correspondant à la bonne réponse.
   a) 5
   b) 7
   c) 8
   d) 9*

Le **deuxième niveau** propose des questions à choix de réponses demandant à l'élève de construire la réponse avant qu'il puisse la choisir parmi les choix proposés. Dans ce cas, l'élève peut soit *reconstruire,* soit *éliminer* certaines données pour en arriver à faire le choix de la réponse. Il peut aussi faire appel au raisonnement à partir des données disponibles.

Exemples

1. Trouve l'énoncé dans lequel les nombres sont placés dans l'ordre décroissant (c'est-à-dire du plus grand au plus petit). Encercle la lettre correspondant à la bonne réponse.
   a) 5, 10, 20, 40, 50
   b) 40, 50, 10, 20, 5
   c) 50, 40, 20, 10, 5*
   d) 50, 20, 40, 10, 5
2. Quelles sont les deux planètes voisines de la Terre dans le système solaire ? Inscris la bonne réponse sur la feuille de réponses.
   a) Jupiter et Pluton
   b) Mercure et Vénus
   c) Mercure et Mars
   d) Vénus et Mars*

3. Lequel des pourcentages ci-dessous correspond à la proportion d'oxygène dans l'air ? Coche la lettre correspondant à la bonne réponse sur la feuille de lecteur de marques.
   a) 0,1 %
   b) 21 %*
   c) 79 %
   d) 90 %
4. Que dois-tu faire lorsque tu es témoin d'un accident dans lequel une personne a été blessée au cou ou au dos ? Encercle la lettre correspondant à la bonne réponse.
   a) Déplacer le blessé pour qu'il soit dans une position confortable et appeler les secours.
   b) Immobiliser le blessé afin qu'il ne puisse bouger et appeler les secours*.
   c) Installer le blessé sur le ventre et appeler les secours.
   d) Placer le blessé sur le dos en lui soulevant les jambes de quelques degrés et appeler les secours.

Le **troisième niveau** renferme des questions de type phrases simples à compléter. De telles questions invitent l'élève à insérer un mot dans une phrase ou une phrase dans un paragraphe, comme on le voit dans certains tests de closure. On trouve également dans cette catégorie des questions de pairage ou d'association entre des dates et des événements historiques, par exemple, ou des questions d'identification de points sur une carte géographique ou un schéma biologique.

Exemples

1. Qui a découvert le Canada ? Inscris ta réponse sur la ligne ci-dessous.

   ____

2. Demain, Josée <u>partir</u> à la campagne.
   Récris la phrase en mettant le verbe souligné au bon temps.
3. La phrase encadrée s'est détachée du texte ci-dessous. Place-la au bon endroit en récrivant tout le texte.

Il fit le tour du jardin pour s'assurer qu'il n'y avait personne.

Jean sortit rapidement de la maison et se dirigea vers l'allée. Alors, il ramassa un bâton et deux vieilles cruches, et partit d'un pas ferme. Il était sûr que personne ne l'avait vu faire.

4. Associe[4] la province (colonne de gauche) à son ensemble régional respectif (colonne de droite). Inscris la lettre correspondant à l'ensemble régional devant la province appropriée.

Provinces			**Ensembles régionaux**
Alberta	_____	a)	Ensemble régional de l'Atlantique
Colombie-Britannique	_____	b)	Ensemble régional du Nord
Nouvelle-Écosse	_____	c)	Ensemble régional du Pacifique
Québec	_____	d)	Ensemble régional des Prairies
		e)	Ensemble régional du Saint-Laurent et des Grands Lacs

Du quatrième niveau jusqu'au huitième, la réponse est accompagnée de critères de correction, élaborés en fonction de l'apprentissage attendu.

Le **quatrième niveau** comprend des questions qui demandent à l'élève soit de produire une réponse courte, soit de développer quelque peu sa réponse.

Exemples

1. La religion grecque est une religion polythéiste. Expliquez, en quelques mots, le terme « polythéisme ». Inscrivez votre réponse ci-dessous.

   ____

   ____

2. Les deux paragraphes qui suivent servaient d'introduction à des articles publiés dans les quotidiens *La Presse* et *Le Soleil,* et traitant du même fait divers. Sur quel élément d'information les deux journaux sont-ils en désaccord ? Expliquez votre réponse.
3. Quel type de société, matriarcale ou patriarcale, les Iroquois forment-ils ? Expliquez, en quelques lignes, votre réponse à l'aide d'exemples.

Le **cinquième niveau** aborde les questions qui portent sur des problèmes simples. Ces questions demandent à l'élève soit de *trouver la solution à un problème simple,* soit d'*expliquer la solution de ce problème.*

Exemples

1. Josée a reçu une invitation à la fête d'anniversaire de son camarade de classe, Stéphane, qui se lit comme suit.

   Votre présence est souhaitée à la fête soulignant l'anniversaire de naissance de Stéphane.

4. Les questions d'association, comme celle de cet exemple, devraient compter un nombre inégal d'éléments à associer.

Date : 14 mars
Heure : 14 h 30
Lieu : Chez Stéphane

Avant de se rendre chez Stéphane, Josée doit arrêter chez son oncle à la demande de sa mère. Cela lui prendra 20 minutes. Pour se préparer et s'habiller, Josée prévoit avoir besoin de 30 minutes. Pour se rendre chez Stéphane, elle mettra 15 minutes. Avant de faire tout cela, Josée regarde sa montre et constate qu'il est 13 h 15.

Josée aura-t-elle assez de temps pour arriver à l'heure à la fête ?

Encercle la lettre correspondant à la bonne réponse.

a) Josée arrivera 5 minutes en retard.
b) Josée arrivera 10 minutes en retard.
c) Josée arrivera 10 minutes avant l'heure*.
d) Josée arrivera 20 minutes avant l'heure.

2. Expliquez la démarche que vous avez utilisée pour arriver à la solution du problème précédent.

3. Expliquez les motifs économiques, politiques, sociaux et religieux qui ont animé Jacques Cartier dans ses voyages d'exploration.

Le **sixième niveau** comprend des questions qui demandent à l'élève d'expliquer des concepts, des procédures, des systèmes ou des structures.

Exemples

1. Dans un losange, les diagonales mesurent respectivement 2 cm et 6 cm. Pourquoi peut-on affirmer que le triangle BEC est rectangle ? Expliquez votre réponse.

2. Dans le poème *L'automne,* Lamartine compare sa mort prochaine à celle de la nature en automne. Trouvez cinq expressions où un élément du *champ lexical de la nature* est mis en relation avec un élément du *champ lexical de la mort* pour exprimer les sentiments de l'auteur. Selon les expressions trouvées, expliquez les sentiments de l'auteur.

3. Expliquez les influences des sociétés amérindiennes sur la société française en Amérique. Décrivez clairement ces influences sur les lignes ci-dessous.

Le **septième niveau** concerne les questions qui demandent à l'élève de produire une composition écrite ou une démonstration, ou de préparer un projet. Dans ces questions, on peut imposer un sujet précis à l'élève ou lui laisser le choix du sujet.

Exemples

1. Vous venez de recevoir un cadeau pour votre anniversaire de naissance de la part de votre oncle qui vit depuis plusieurs années à l'étranger. Rédigez une lettre pour exprimer à votre oncle toute la joie que vous a procurée ce cadeau et le remercier de cette marque d'attention. Votre lettre ne doit pas dépasser deux pages manuscrites.
2. Durant la semaine des sciences, votre école organise une exposition des réalisations scientifiques des élèves. On vous demande de préparer un projet que vous avez l'intention de présenter à cette exposition.

   Le comité qui évaluera les projets utilisera les critères suivants. (*Une grille d'appréciation suit.*)
3. Parmi les défis moraux contemporains, choisissez-en un qui vous intéresse et défendez votre position vis-à-vis de ce défi. Assurez-vous bien que votre sujet soit un problème moral ou éthique. Vous devrez énoncer clairement votre position, et votre argumentation devra être cohérente avec votre position. Le texte ne devrait pas dépasser une page.

Le **huitième niveau** est caractérisé par des questions qui amènent l'élève à *effectuer, dans un temps plus ou moins long, certaines démarches et opérations intellectuelles pour justifier l'apprentissage qu'il a réalisé.* Le soutien de l'enseignant et l'aide des autres élèves ou d'un expert externe sont alors considérés comme faisant partie de la démarche de production du travail demandé. La différence entre ce niveau et le précédent réside dans la collaboration et l'aide que l'élève peut recevoir soit de l'enseignant, soit d'un expert externe.

Exemples

1. Dans le cadre du cours de morale, on vous demande de mener une enquête auprès des adolescents de votre école afin de connaître leur perception sur un sujet de votre choix (la discipline, la violence, la drogue, etc.).

   En équipes de trois élèves, vous devez bâtir un questionnaire, l'administrer auprès de 20 élèves, compiler les informations et rédiger un texte expliquant votre démarche (choix des questions, échantillon des répondants et caractéristiques de ces derniers) et présentant vos principales conclusions. Terminez votre travail en donnant votre avis sur les réponses obtenues par vos collègues.
2. De jeunes Européens sont en visite au Québec. Ils s'intéressent principalement à l'industrie chimique québécoise. On vous demande de décrire, dans un exposé d'environ cinq minutes, une usine de produits chimiques qui se trouve au Québec. Vous devez préciser la ou les substances chimiques fabriquées dans cette usine et l'utilisation que l'on en

fait dans la société. De plus, vous devez énumérer différentes conséquences sociales, économiques et environnementales de la fabrication du produit. Enfin, il vous faut mentionner l'importance de cette industrie ou de la substance chimique fabriquée pour le Québec.

3. Choisissez deux œuvres d'un même auteur (dans les domaines de la musique, de la peinture, de l'écriture, etc.). Présentez brièvement l'auteur (sa vie et ses œuvres), décrivez et analysez les œuvres choisies en illustrant vos explications à l'aide d'exemples. Expliquez pourquoi vous avez choisi cet auteur et ces deux œuvres. Il est entendu que, pour réaliser ce travail, vous pouvez consulter toutes les personnes susceptibles de vous aider (même l'auteur) ainsi que toute documentation disponible sur le sujet. Vous pouvez réaliser ce travail en équipes de deux ou trois élèves. Votre travail doit comprendre un texte d'environ 5 pages et un exposé devant la classe d'une durée de 10 minutes.

5 L'analyse des questions d'un examen

5.1 L'analyse des questions à choix de réponses

Si nous considérons un examen comme un ensemble de questions conçues pour mesurer l'habileté intellectuelle des élèves, nous devons accepter que l'assignation des indices numériques à chaque question à laquelle l'élève a répondu constitue un aspect important de la mesure. Devant une question donnée, il y a deux possibilités : l'individu réussit, en donnant une bonne réponse à la question (1), ou il ne réussit pas, en proposant une réponse non admise (0). La somme des bonnes réponses provenant des items d'un test représente alors une estimation du score vrai de l'individu. Ce score nous permet de tirer des conclusions (inférer) sur l'apprentissage réalisé. Plus la somme des bonnes réponses est élevée, plus l'élève maîtrise l'habileté mesurée par l'examen.

Puisque chaque item du test contribue à définir le score de la personne pour l'ensemble du test, la validité et la fiabilité de l'interprétation que nous ferons des résultats du test vont dépendre de la valeur de chaque item qui compose le test. Quelles propriétés devrait avoir chaque item pour qu'il contribue à assurer la validité et la fiabilité de notre interprétation des résultats ? Voilà la question qui nous amène à procéder à une analyse d'items.

Émettons les hypothèses suivantes.

- Chaque item est capable de solliciter chez les élèves une réponse qui indiquerait la présence (oui = 1) ou l'absence (non = 0) d'une des caractéristiques retenues de l'habileté que nous voulons mesurer. Par exemple, *faire le résumé d'un paragraphe et identifier le personnage principal* peuvent être considérés comme des caractéristiques de l'habileté en lecture.
- L'information (oui = 1, non = 0) que nous donne chaque réponse peut s'additionner pour déterminer l'amplitude du trait mesuré.

Pour apprécier la contribution de chaque item à la définition du score vrai de l'individu au test, on recourt généralement au calcul de deux indices. Il s'agit de l'*indice de difficulté* (p) et de l'*indice de discrimination* (D) de l'item.

En administrant un questionnaire à choix de réponses pour la première fois, nous nous intéressons à l'interaction entre les élèves et les items afin de déterminer la valeur de chaque item auprès de l'ensemble des élèves.

5.1.1 L'indice de difficulté

La première information recherchée concerne l'indice de difficulté (p) de la question. Elle est résumée par l'ensemble des vecteurs de réponses des élèves, comme on peut le voir dans le tableau 6.3.

L'indice obtenu varie entre 0 et 1 ou peut être converti en un pourcentage. Plus l'indice est élevé, plus la probabilité de trouver une réponse correcte est grande.

Il faut noter que l'élève qui n'a pas répondu à une question donnée est considéré comme un individu qui ne connaît pas la bonne réponse.

On voit, dans le tableau 6.3, que l'item 1 a un indice de difficulté de 1,00.

Tableau 6.3 **Vecteur de réponses des élèves**

L'indice de difficulté p est calculé de la façon suivante : nombre de bonnes réponses (NBR) divisé par le nombre de réponses (NR)

$$p = \frac{NBR}{NR}$$

Pour l'item 4, par exemple, p est égal à 2 ÷ 4, soit 0,50.

	Item 1	Item 2	Item 3	Item 4	Item 5	Item 6	Item 7
Élève 1	1	0	0	1	0	1	0
Élève 2	1	0	0	0	1	0	1
Élève 3	1	0	1	1	0	1	1
Élève 4	1	0	1	0	0	1	1
p =	1,00	0,0	0,50	0,50	0,25	0,75	0,75

Cela peut signifier que tous les élèves ont choisi la bonne réponse et on postule alors que la question est facile. L'item 2, par contre, semble plus difficile, puisque personne n'a trouvé la bonne réponse ; l'indice est donc de 0.

Pour assurer une bonne variabilité des items qui composent l'instrument de mesure, il est généralement conseillé d'avoir des items dont l'indice de difficulté se situe entre 0,20 et 0,80. On verra plus loin, en définissant l'indice de discrimination, la relation qui existe entre l'indice de difficulté et l'indice de discrimination.

Disons, pour le moment, qu'un item dont l'indice de difficulté se situe dans l'intervalle défini par 0,20 et 0,80 présente un indice de difficulté acceptable, sous réserve de la valeur que prend l'indice de discrimination.

5.1.2 L'indice de discrimination

On attend de l'item qu'il soit capable de faire la distinction entre un individu qui possède l'habileté mesurée par l'ensemble du test et celui qui ne la possède pas. Le score observé est donc le critère permettant de différencier les élèves en fait d'habileté. Un élève qui obtient un score élevé peut être considéré comme possédant mieux l'habileté que celui qui obtient un score faible. Si nous divisons l'ensemble des élèves qui ont passé le test en deux groupes extrêmes (*groupe supérieur* : élèves ayant obtenu les scores les plus élevés ; *groupe inférieur* : élèves ayant obtenu les scores les plus faibles) à partir de leur score au test, l'item qui possède un bon pouvoir discriminatif devrait distinguer les élèves du groupe supérieur de ceux du groupe inférieur. En d'autres termes, l'élève qui appartient au groupe supérieur devrait réussir l'item et l'élève qui appartient au groupe inférieur, échouer.

On cherche ainsi à déterminer la corrélation existant entre le score au test et le score à l'item. Plus la corrélation item et test est élevée, plus l'item possède un bon pouvoir discriminatif. Celui-ci se traduit par des indices allant de –1 à +1.

Calcul de l'indice de discrimination par la méthode manuelle

Soit une classe de 30 élèves à qui l'on a administré expérimentalement un test comprenant 15 questions.

1) On place dans l'ordre décroissant les copies corrigées des élèves selon les résultats obtenus au test.
2) On divise le groupe en trois sous-groupes égaux (10 — 10 — 10).
3) Les 10 élèves ayant obtenu les 10 notes les plus élevées constituent le groupe supérieur (gS). Les 10 élèves ayant les plus faibles notes représentent le groupe inférieur (gI). Les 10 autres seront le groupe moyen.
4) On considère, à des fins d'analyse, les deux groupes extrêmes (gS et gI) afin de vérifier la capacité de chaque item à distinguer l'appartenance des élèves à ces deux catégories. On postule que, en général, les élèves qui

appartiennent au groupe supérieur devraient réussir chaque item et ceux qui appartiennent au groupe inférieur, échouer. Alors l'indice de difficulté de l'item pour le groupe supérieur est comparé avec l'indice de difficulté du même item pour le groupe inférieur.

5) La différence entre l'indice de difficulté de l'item pour le groupe supérieur (pS) et celui qui a été observé pour le groupe inférieur (pI) permet de trouver l'indice de discrimination D.

$$D = p\mathrm{S} - p\mathrm{I}$$

Voici la règle de décision généralement appliquée au moment de l'acceptation ou du rejet d'un item.

- Si D est égal ou supérieur à 0,30, l'item possède un bon pouvoir discriminatoire.
- Si D se situe entre 0,20 et 0,30, l'item est à revoir.
- Si D est inférieur à 0,20 ou est négatif, l'item est à rejeter.

L'indice à considérer dans l'analyse des items est l'indice de discrimination puisqu'il nous renseigne sur la contribution de chaque item à la définition du score de l'individu. Rappelons cependant que ces données ne constituent que des indices qui nous informent sur la valeur de la question. Avant de prendre la décision de rejeter une question, il faut procéder à son étude.

Dans presque toutes les commissions scolaires du Québec, il existe des systèmes informatisés de traitement des examens qui produisent des analyses d'items. Si l'enseignant n'a pas à faire tous les calculs nécessaires, il doit cependant pouvoir utiliser efficacement les rapports d'analyse d'items qu'il reçoit (*voir le tableau 6.4*).

Le tableau 6.4 présente l'analyse d'items de 4 des 30 questions administrées à 420 élèves. Deux méthodes de calcul du pouvoir de discrimina-

Tableau 6.4 **Rapport informatisé d'analyse d'items**

	Indices			Pourcentage des réponses pour chacun des choix				
Items	**Indice de corrélation bisérial**	**Indice de discrimination**	**Indice de difficulté**	**a)**	**b)**	**c)**	**d)**	**X**
Q1	0,72	0,66	0,64	7,6 %	(64,3 %)	11,0 %	17,1 %	0,0 %
Q2	0,70	0,68	0,66	11,0 %	(66,1 %)	18,1 %	4,8 %	0,0 %
Q3	0,56	0,32	0,86	2,4 %	(86,4 %)	8,4 %	2,6 %	0,2 %
Q4	0,53	0,39	0,75	1,4 %	3,1 %	(75,0 %)	19,5 %	1,0 %

tion de chaque item sont données. La colonne « Indice de corrélation bisérial » fournit l'indice de discrimination calculé selon une méthode corrélationnelle. Il s'agit de la corrélation entre le score à l'item et le score total au test. L'indice bisérial est conseillé dans le cas où le nombre d'élèves est grand (environ 100 et plus) et lorsqu'on peut faire l'hypothèse que les scores vrais des individus, obtenus à partir des questions à réponses dichotomiques d'un test, suivent une distribution normale. La colonne suivante présente l'indice de discrimination calculé selon la méthode manuelle décrite dans ce chapitre. Dans le contexte de la classe, on utilise plutôt l'indice calculé selon cette méthode pour prendre les décisions qui s'imposent concernant les items.

Les colonnes des pourcentages indiquent le pourcentage des élèves ayant fait ce choix comme réponse. Notez que la bonne réponse est placée entre parenthèses. Veuillez noter également que le choix « X » nous renseigne sur une réponse qui ne correspondrait pas à celle que l'on attendait (quelqu'un qui n'aurait pas répondu à la question, par exemple). En fait, cette partie du tableau nous informe sur le pourcentage des élèves qui ont choisi chacun des leurres.

5.1.3 Relation entre l'indice de difficulté et l'indice de discrimination

Dans l'analyse d'items, l'indice de discrimination est intéressant. Il permet souvent de décider de l'acceptation ou du rejet d'un item. Cependant, la valeur de cet indice est influencée par la valeur de l'indice p. Les études ont démontré que lorsque p se situe à 0,50 ou s'en approche (p = 0,40..., p = 0,50..., p = 0,60), l'indice de discrimination tend vers son maximum : D = 1,00. On comprend alors que plus l'item est facile ou difficile (p = 1,00 ou p = 0,00), plus il est difficile d'obtenir un pouvoir discriminatif élevé.

Cependant, à eux seuls, ces indices ne suffisent pas pour prendre une décision sur le maintien ou le rejet de la question. Il est souvent nécessaire de procéder à une analyse logique de la question. Plusieurs raisons, autres que statistiques, peuvent expliquer les indices obtenus pour un item donné :

- un item qui mesure un contenu insignifiant peut obtenir un indice de difficulté très élevé ;
- un item qui présente des biais ou qui n'est pas clair pour les élèves peut obtenir un indice de difficulté très faible ;
- un item dont le contenu n'a pas été enseigné peut aussi obtenir un indice de difficulté et un indice de discrimination très faibles.

Rappelons que ces indices doivent être considérés comme des indicateurs qui nous invitent à regarder de plus près la valeur de chaque question dans l'ensemble du test. L'analyse d'items doit être complétée par une analyse logique qui étudie le contenu de la question, en faisant appel au jugement de l'enseignant compte tenu de la matière et du contexte d'enseignement.

5.1.4 L'analyse des leurres

Lorsque l'analyse d'items porte sur un examen à choix de réponses, on procède habituellement à une analyse des leurres (les mauvaises réponses). Cette analyse permet de comprendre les valeurs obtenues pour les indices de difficulté et de discrimination. L'analyse des leurres aide aussi à raffiner l'analyse logique.

Précisons d'abord qu'une question à choix de réponses présente généralement un énoncé suivi d'un ensemble de choix, constitué de la bonne réponse et des mauvaises réponses ou leurres (*voir la figure 6.4*).

L'élève qui maîtrise la notion devrait choisir la bonne réponse parmi un ensemble de choix qui sont tous très attractifs. Par contre, l'élève qui ne maîtrise pas la notion devrait choisir un des leurres. En fait, le leurre doit être attractif pour tout élève qui ne maîtrise pas la notion. Plusieurs cas de figures peuvent se présenter :

- des élèves qui maîtrisent la notion peuvent choisir un des leurres ;
- des leurres peuvent être moins attractifs ;
- des leurres peuvent être facilement détectés par les élèves qui ne maîtrisent pas la notion.

Ces situations affectent les indices de difficulté et de discrimination. En principe, quand les leurres ne sont pas choisis, c'est la bonne réponse qui l'est (à moins que l'élève ne réponde pas du tout à la question), augmentant ainsi la valeur de l'indice de difficulté. Plus l'indice de difficulté est élevé, plus la valeur de l'indice de discrimination tend à être faible.

L'analyse des leurres consiste à étudier le taux d'attraction de chaque leurre pour les élèves qui ne maîtrisent pas la notion mesurée par la question.

À titre d'exemple, le tableau 6.5 propose une analyse des leurres pour la question suivante. Dans ce cas, la bonne réponse est **d)**.

Trouve l'énoncé qui est vrai.

a) Un triangle rectangle est une figure qui possède deux côtés.
b) Un triangle rectangle est une figure qui possède trois côtés.
c) Un triangle rectangle est une figure qui possède quatre côtés.
d) Un triangle rectangle est une figure qui possède un angle droit.

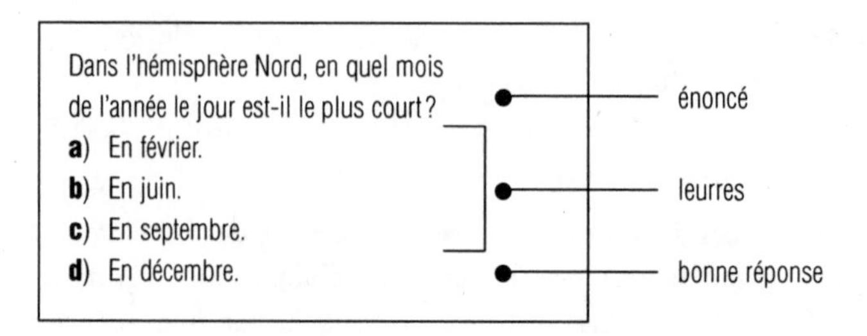

Figure 6.4 **Exemple d'une question à choix multiple**

Tableau 6.5 **Exemple d'analyse des leurres**

		Choix a)	Choix b)	Choix c)	Choix d)
p = 0,70	Nombre d'élèves ayant choisi cette réponse (gS)	1	2	0	7
D = 0,20	Nombre d'élèves ayant choisi cette réponse (gI).	8	1	0	1
	Validité du leurre	+	-	-	+

Dans cet exemple, les leurres **b**) et **c**) posent problème. Nous les avons identifiés par le signe (–). Le leurre **a**) semble être correct. En effet, un leurre doit être choisi par plus d'élèves du groupe inférieur (gI) qui ne possèdent pas l'habileté mesurée par le test que par ceux du groupe supérieur (gS). Par ailleurs, lorsque plus d'élèves du groupe supérieur que du groupe inférieur choisissent un leurre — c'est le cas du leurre **b**) —, celui-ci doit être examiné. Si le leurre n'est pas choisi du tout par les élèves du groupe inférieur, une inspection s'impose là aussi. Lorsqu'un leurre est choisi par un nombre égal d'élèves des deux groupes, il y a lieu de procéder à une vérification du leurre. Lorsque nous effectuons l'analyse logique de la question de notre exemple, en ce qui concerne les leurres, nous remarquons que **c**) n'était vraiment pas un bon leurre. Le leurre **b**) semble être perçu par des élèves du groupe supérieur comme une bonne réponse possible. Effectivement, un triangle possède trois côtés. C'est donc un leurre qui doit être modifié si on veut utiliser cette question une prochaine fois. Bien que le leurre **a**) respecte les règles d'attraction nécessaires, il faut remarquer que si un triangle possède trois côtés, il a forcément deux côtés. On pourrait modifier ce leurre en précisant « uniquement deux côtés ».

En résumé, l'analyse d'items d'un examen à choix de réponses peut se faire à partir de l'étude des indices suivants :

- l'indice de difficulté (p) qui peut prendre des valeurs allant de 0,00 à 1,00 ;
- l'indice de discrimination (D) qui peut varier de –1,00 à +1,00. Cet indice nous aide à décider des questions à garder, de celles qui sont à revoir et de celles qui doivent être rejetées.

À ces indices, il faut ajouter l'analyse des leurres qui permet d'apprécier le pouvoir attractif des réponses, qui ont justement été formulées dans le but d'attirer les élèves qui ne connaissent pas la bonne réponse.

5.2 L'analyse des questions d'un examen à réponse élaborée

Si dans l'examen à choix de réponses on peut considérer la correction comme objective, c'est-à-dire que le score obtenu par l'élève ne varie pas d'un correcteur à l'autre, il n'en est pas ainsi pour l'examen à réponse élaborée. Les écrits démontrent que le grand problème des examens à réponse élaborée vient du fait que le score obtenu par un élève peut varier d'un correcteur à l'autre. Nous avons vu dans les pages précédentes les différents biais qui peuvent affecter le score de l'élève à un examen à réponse élaborée. Par ailleurs, dans l'examen à choix de réponses, chaque question se prête facilement à une dichotomisation des réponses (1 pour la bonne réponse et 0 pour toute autre réponse). Par contre, dans l'examen à réponse élaborée, il est généralement difficile de dichotomiser les réponses à une question sans affecter les fondements mêmes de ce genre d'examen. Pour toutes ces considérations, la recherche de validité et de fiabilité dans le cadre de ce type d'examen va se porter vers la stabilité des scores obtenus par l'élève à une correction faite par plus d'un correcteur. En d'autres termes, chaque copie est corrigée par plus d'un correcteur : plus les scores diffèrent d'un correcteur à l'autre, moins l'examen est valide et fiable. Dans le contexte de la classe, il est très difficile, voire impossible, pour l'enseignant de faire corriger son examen à réponse élaborée par plusieurs correcteurs. Cependant, comme l'enseignant ne se base généralement pas seulement sur un examen pour faire l'évaluation des apprentissages de ses élèves, qu'il est toujours en contact avec ses élèves et que ceux-ci connaissent bien certaines caractéristiques personnelles de l'enseignant, toutes ces circonstances aident à minimiser les erreurs qui peuvent affecter la validité et la fiabilité des scores obtenus par les élèves à l'examen à réponse élaborée. Toutefois, certaines précautions doivent être prises lorsqu'on utilise des examens à réponse élaborée.

- Il est important de bien cerner l'objectif d'apprentissage que la question veut mesurer. Par exemple, on ne peut pas demander à un élève d'*expliquer les causes de la guerre de Troie* alors que l'objectif d'apprentissage visé concernait l'*énumération* de ces causes.
- On devrait formuler des questions assez circonscrites. Il faut se rappeler que plus la question est vaste ou vague, plus l'élève risque de passer à côté de la réponse attendue par l'enseignant. En cela, le score de l'élève à une telle question risque d'être non fiable (*voir l'exemple conseillé à la page 58*).
- Il est souhaitable de procéder à l'inventaire d'un ensemble de réponses possibles et de déterminer celles qui sont acceptables et à quelle valeur (pointage), et celles qui ne sont pas du tout acceptables. Bien sûr, il est

difficile de prévoir toutes les réponses possibles des élèves. Cependant, avec l'expérience, la tâche devient moins difficile.

- Il est impératif de procéder à une certaine validation de contenu de la question. Dans un premier temps, la question sera revue par celui qui l'a rédigée. Dans un second temps, la question ainsi que la grille de correction seront soumises à un collègue qui pourra suggérer des corrections à y apporter.
- Il faudra mettre en place des modalités de correction qui limitent les biais potentiels. Ces modalités porteront sur :
  - les critères retenus, qui seront formulés d'une manière qui précise les attentes de l'enseignant, et qui seront communiqués aux élèves ;
  - la précision de la grille de correction, qui devra s'appuyer sur l'inventaire des réponses possibles ;
  - la démarche de correction, qui devrait être identique d'une copie à l'autre afin d'éviter des variations dans le jugement du correcteur.

Nous venons de voir que les questions à choix de réponses peuvent être étudiées à partir de la technique de l'analyse d'items. Cette analyse permet de calculer les indices p (indice de difficulté) et D (indice de discrimination). De plus, une analyse des leurres aide à cerner la valeur des différents choix soumis aux élèves. Cependant, la technique d'analyse d'items ne s'applique pas vraiment dans le cas des questions à réponse élaborée, surtout lorsqu'elles ne se prêtent pas à une dichotomisation (oui = 1, non = 0) des réponses des élèves. De plus, ces questions étant généralement de correction subjective, il devient important de concentrer l'analyse sur les moyens de minimiser la subjectivité du correcteur.

Mise en pratique

1. La directrice de l'école fait appel à vous pour élaborer un examen de 10 questions qui doivent porter sur les niveaux taxonomiques. Utilisez différents niveaux taxonomiques pour rédiger vos questions. Indiquez vis-à-vis de chaque question, le niveau taxonomique auquel elle fait référence.
2. À la suite de l'expérimentation d'un questionnaire d'examen composé de 10 items à choix multiple et administré à 28 élèves, les données ci-dessous ont été recueillies.

   Choisissez les items qui devraient participer à la composition définitive de l'examen pour qu'il soit le plus valide et fiable possible. Expliquez les raisons qui justifient le rejet ou l'amélioration de certains items.

Tableau 6.6 **Données relatives à l'expérimentation d'un questionnaire**

Questions	1	2	3	4	5	6	7	8	9	10
Clé de correction	c)	b)	a)	d)	a)	a)	c)	d)	b)	c)

Élèves	Réponse choisie pour chaque question										Scores
	1	2	3	4	5	6	7	8	9	10	
1	a	b	d	d	b	a	b	d	a	d	
2	c	b	a	a	b	c	c	d	b	c	
3	a	c	d	d	a	a	a	d	a	b	
4	c	b	d	a	a	a	b	d	b	c	
5	c	b	a	d	a	a	c	d	b	b	
6	a	c	d	a	a	a	c	d	b	c	
7	c	b	d	d	a	a	c	d	b	b	
8	c	b	a	d	a	a	c	d	b	c	
9	c	b	b	a	c	d	a	d	a	c	
10	b	c	b	a	c	d	b	d	a	c	
11	c	b	a	d	c	d	a	d	a	c	
12	c	b	a	d	a	b	b	d	c	c	
13	b	a	d	b	c	b	a	d	c	c	
14	c	b	a	d	a	a	a	d	b	c	
15	c	a	c	b	c	a	b	d	c	c	
16	c	a	c	b	c	c	b	d	d	c	
17	c	a	c	d	a	c	a	d	d	c	
18	b	b	a	c	b	c	b	d	a	c	
19	d	a	c	d	a	c	a	d	a	a	
20	d	a	c	d	b	c	b	d	a	c	
21	d	a	c	c	b	c	a	d	a	a	
22	d	c	c	c	b	b	b	d	b	c	
23	d	c	c	c	b	a	b	d	b	c	
24	d	c	c	a	a	b	b	d	d	c	
25	d	d	c	d	a	b	b	d	a	c	
26	c	d	a	d	a	a	d	d	c	c	
27	a	a	b	c	c	d	d	d	c	c	
28	a	a	b	c	c	d	d	d	a	c	

3. Procurez-vous, dans le contexte de l'enseignement de votre discipline, un examen à réponse élaborée et procédez à l'analyse d'une des questions. Votre analyse devra tenir compte de la rédaction de la question et des modalités de correction. Vous devez proposer une nouvelle formulation de la question et la méthode de correction.

Chapitre 7

L'évaluation en situation authentique

Nous avons catégorisé les pratiques d'évaluation selon trois approches : l'approche psychoéducative, l'approche basée sur les objectifs et l'approche dite écologique. L'évaluation en situation authentique peut être considérée comme un moyen de mettre en pratique l'approche écologique qui, rappelons-le, se préoccupe du développement, chez la personne en formation, des compétences nécessaires à un meilleur fonctionnement dans son environnement de vie. Ce chapitre traite en détail les fondements de l'évaluation en situation authentique et l'instrumentation qui accompagne la pratique de ce modèle d'évaluation.

1 Les fondements

1.1 Le contexte

Les tests ou les examens en usage ont fait l'objet de nombreuses critiques. On leur reproche, d'une part, de placer les élèves dans des situations qui leur demandent généralement de déterminer une bonne réponse (questions à choix multiple, vrai ou faux, phrase à compléter) ou de produire une réponse connue et acceptable par l'enseignant, ou par le rédacteur de la question, ce qui ne reflète pas nécessairement la réalité extrascolaire à laquelle l'école veut préparer les élèves. D'autre part, ces tests ou ces examens possèdent de sérieuses limites quant aux informations à fournir à l'enseignant sur les stratégies ou les processus mis en œuvre par l'élève pour arriver à la réponse. Par exemple, le fait d'être capable de donner une bonne réponse ne garantit pas nécessairement que l'élève possède bien l'habileté mesurée par la question : une bonne réponse peut cacher une mauvaise compréhension du sujet par l'élève et une mauvaise réponse, en lui enlevant l'occasion d'expliquer le cheminement suivi pour y arriver, ne fournit pas d'informations sur le processus et sur l'état de l'apprentissage fait par l'élève.

Malgré les limites éducatives et pédagogiques de ces instruments, les enseignants semblent enclins à enseigner en fonction des contenus choisis pour ces tests, et les élèves, de leur côté, sont enclins à apprendre uniquement ce qui est évalué par ces tests (Doyle, 1983). On peut observer dans les écoles secondaires du Québec que presque tout le mois de mai est consacré à réviser, avec les élèves, les anciens examens du ministère de l'Éducation du Québec ou de la commission scolaire afin de mieux les préparer aux épreuves de fin d'année. Une telle situation confirme à l'élève que l'enseignement a une autre finalité : celle de réussir l'examen du MEQ ou de la commission scolaire.

Le concept d'évaluation en situation authentique, introduit en 1989 par Grant Wiggins (1989), propose un nouveau regard sur la façon de conduire l'évaluation des apprentissages.

1.2 La définition et les buts de l'évaluation en situation authentique

Pour Wiggins (1993) et Hart (1993), une évaluation est dite en situation authentique lorsqu'elle présente à l'élève des tâches :

- qui expriment des situations tirées de la vie normale ;
- qui sont signifiantes et motivantes pour l'élève ;
- et qui permettent de comprendre ou de résoudre un problème fréquemment rencontré dans la vie extrascolaire.

L'évaluation en situation authentique demande à l'élève de démontrer sa capacité à mettre en œuvre, dans un contexte réel, les savoirs, les savoir-faire et les attitudes qui sont nécessaires à la réalisation d'une tâche susceptible d'être rencontrée dans la vie réelle extrascolaire. Cette évaluation repose, entre autres, sur la présentation à l'élève de tâches qui font appel à une intégration de sa part des connaissances acquises. Ces tâches sont alors considérées comme des tâches complexes. Contrairement au modèle d'examen composé de plusieurs questions indépendantes et souvent isolées les unes par rapport aux autres, ou composé de questions qui mesurent chacune une partie des connaissances, la tâche d'évaluation en situation authentique cherche à mesurer un ensemble de dimensions à la fois cognitives et affectives permettant de la réaliser efficacement. Rappelons que, dans l'approche d'évaluation axée sur les objectifs, on parlait de mesure liée à des critères, *criterion-referenced-measurement* (les critères étant les objectifs visés), ou de mesure liée à un domaine, *domain-referenced-measurement* (le domaine étant les diverses situations sur lesquelles doivent porter les questions qui mesurent un objectif donné). L'évaluation en situation authentique utilisera la mesure des performances complexes.

Puisqu'il faut reconnaître l'importance que revêt la réussite d'un examen pour l'élève et pour l'enseignant, une des façons de modifier la situation est de *faire appel à une forme d'évaluation qui soit conforme aux principes reconnus de l'apprentissage et de l'enseignement.* Voilà un premier but d'une évaluation en situation authentique.

Par ailleurs, on prend de plus en plus conscience que l'utilisation de tests ou d'examens formels crée une situation artificielle dans la classe : le jour d'un examen, la relation pédagogique entre l'enseignant et l'élève prend une tout autre dimension, l'enseignant se sentant alors comme une personne qui juge et sanctionne plutôt que comme une personne qui aide l'élève à mieux comprendre. Bien souvent, le test ou l'examen porte sur des apprentissages factuels sans pour autant vérifier le transfert de ces apprentissages dans des situations concrètes. De plus, les réponses données par un élève à un ensemble de questions comme celles que l'on trouve généralement dans les tests standardisés et les examens ne semblent pas refléter la profondeur des apprentissages réalisés. On croit que *l'évaluation devrait prendre en compte les préoccupations actuelles qui visent à rendre l'élève actif dans sa démarche d'apprentissage et qui s'intéressent aussi bien au processus qu'au produit de l'apprentissage.* On croit aussi que la situation d'évaluation ne devrait pas changer la relation pédagogique qui doit exister entre l'enseignant et l'élève. Voilà donc un second but d'une évaluation en situation authentique.

De nos jours, particulièrement sous l'influence de la psychologie cognitive, l'évaluation semble s'intéresser à la façon dont la personne en formation traite les informations qu'elle reçoit d'un environnement complexe, varié et changeant afin d'accomplir efficacement les rôles qui lui assurent un meilleur fonctionnement. Pour Glaser (1994), les concepts issus de l'approche psychométrique traditionnelle vont faire place, dans le design de l'évaluation, aux concepts de cognition, d'apprentissage et de compétence liés à la psychologie cognitive.

Des auteurs tels Wiggins (1993), Beck (1991) et Shepard (1989) parlent d'évaluation authentique, c'est-à-dire d'une évaluation qui devrait tenir compte du contexte et de l'environnement dans lesquels la personne aura à utiliser les habiletés développées. De plus, l'évaluation des apprentissages ne repose plus uniquement sur un type d'instrumentation, mais sur une variété d'instruments permettant de saisir les multiples facettes de l'apprentissage. On parle alors de *performance-based assessment,* une évaluation qui demande à l'élève de démontrer sa capacité à mettre en œuvre, dans un contexte réel, les savoirs, les savoir-faire et les attitudes qui sont nécessaires (Linn, 1994 ; Millman, 1991 ; Quellmaz, 1991 ; Stiggins, 1994). Le terme *performance* est utilisé ici dans le sens d'*accomplissement efficace d'une tâche ou d'une opération en utilisant un ensemble intégré de connaissances* (déclaratives, procédurales et conditionnelles).

1.3 La mesure axée sur les performances complexes

Nous venons de souligner que l'évaluation en situation authentique fait appel à une instrumentation différente de celle qui fondait les tests ou les examens existant jusqu'ici. L'évaluation en situation authentique repose donc sur la *mesure des performances complexes.* Celle-ci se base sur la compétence de l'élève à mettre en œuvre, dans des situations et des contextes variés, les stratégies cognitives et métacognitives nécessaires à la réussite d'une tâche ou d'un ensemble de tâches.

Nous associons à « performance » le qualificatif « complexe » pour signifier que la mesure de la performance devrait tendre à solliciter chez l'élève *à la fois* des connaissances déclaratives, des connaissances procédurales et des connaissances conditionnelles. Les connaissances conditionnelles introduisent l'exercice du *jugement* de l'élève par rapport à la pertinence et à l'efficacité de l'action ou de la stratégie envisagée.

En fait, au lieu d'avoir un ensemble de questions d'examen qui portent sur des connaissances fractionnées, la mesure axée sur des performances complexes demande à l'élève d'intégrer l'ensemble des trois types de connaissances pour la réalisation efficace de cette tâche.

La réalisation de la tâche peut se dérouler durant les heures de classe ou en dehors. La tâche, dans la mesure des performances complexes, invite l'élève à élaborer ou à construire sa propre réponse et, en conséquence, il n'existe pas une réponse unique attendue par l'enseignant ou par le rédacteur de la tâche.

L'évaluation de la réalisation de la tâche se fait, en principe, à partir du jugement d'experts. D'où la nécessité de bien définir les critères d'évaluation de la performance observée.

Même si une évaluation en situation authentique fait appel à des mesures axées sur des performances, il est important de souligner que la mesure axée sur les performances complexes ne conduit pas automatiquement à une évaluation en situation authentique.

Par exemple, lorsque la commission scolaire ou le ministère de l'Éducation du Québec administre un examen de production écrite aux élèves en leur accordant deux heures pour le compléter, on peut penser qu'un tel examen, puisqu'il demande à l'élève de produire un texte (production concrète) dont la correction sera faite par des correcteurs (jugement d'experts) qui doivent apprécier la production de l'élève à partir d'une grille d'appréciation composée de critères, on peut donc penser que cet examen constitue une mesure des performances. Cependant, un tel examen ne répond pas nécessairement à certains critères d'authenticité : la durée imposée peut ne pas respecter le temps ordinairement requis, dans la vraie vie, pour rédiger un tel texte ; l'élève ne peut pas bénéficier des conseils de son enseignant ou de la consultation d'ouvrages comme le dictionnaire ; l'élève peut écrire le texte sans qu'il ait en tête un destinataire réel ; il n'est peut-être pas du tout informé des critères de correction adoptés par le correcteur, etc.

Ainsi, Wiggins (1993) formule un ensemble de critères qui, selon lui, permettent de déterminer si une tâche évaluative est véritablement authentique. Parmi ces critères se trouvent ceux qui ont été définis plus haut et d'autres que nous résumons ci-dessous.

- Les tâches demandent à l'élève de construire ou de produire de nouvelles connaissances ou de nouvelles productions.
- Les tâches induisent des interactions entre l'élève et ses pairs (collaboration), entre l'élève et l'examinateur. Puisque l'élève doit justifier certaines réponses et obtenir des informations supplémentaires pour réaliser efficacement la tâche, l'examinateur constitue alors une source d'information et de rétroaction externe permettant à l'élève d'ajuster la qualité de sa production.
- Les tâches présentées aux élèves sont complexes et portent sur des problèmes plus ou moins ambigus et flous. Dans la mesure où ces tâches tiennent compte des contextes diversifiés, l'accent sera mis sur la constance de la performance de l'élève à travers les divers contextes.
- Les tâches visent à donner à l'élève un certain contrôle sur le déroulement des actions à mener pour les accomplir. Par exemple, en situation de production écrite, l'élève pourra choisir lui-même le sujet et la façon dont il veut l'aborder.
- Les tâches doivent porter en elles les éléments nécessaires pour assurer une motivation chez l'élève qui dépasse le seul désir d'obtenir une bonne note.

Bien sûr, une évaluation en situation authentique ne peut pas tenir compte simultanément de tous les critères énumérés ici. Il est donc essentiel que l'enseignant ou la personne qui veut faire une évaluation précise les critères d'authenticité qu'il ou elle considère importants pour la situation d'évaluation choisie.

1.3.1 Les composantes d'une tâche d'évaluation en situation authentique

Popham (1998) rapporte que les spécialistes de la mesure axée sur les performances suggèrent trois composantes qui devraient caractériser une telle mesure : la multiplicité des dimensions de la performance, une définition préalable des critères d'évaluation de la performance et l'utilisation du jugement d'experts.

- La multiplicité des dimensions de la performance
  Cette mesure fait appel, pour une compétence donnée, aux multiples dimensions de cette dernière.
  Par exemple, la *compétence de l'élève à communiquer* peut être mesurée par les dimensions suivantes : la clarté des idées, l'adaptation du discours selon l'auditoire, l'utilisation variée des moyens de communication, etc.
- Une définition préalable des critères d'évaluation de la performance
  Pour chacune des dimensions retenues, une échelle d'appréciation de la performance que peut produire l'élève est définie et communiquée à l'élève.
  Par exemple, pour la dimension *clarté des idées* (mentionnée plus haut), nous pourrions définir l'échelle d'appréciation de la façon suivante.

L'élève communique clairement et efficacement l'idée principale du message et fait le lien entre l'idée principale et les idées secondaires.	4
L'élève communique l'idée principale du message et quelques idées secondaires.	3
L'élève donne des informations importantes, mais les idées ne sont pas bien structurées.	2
L'élève livre quelques informations, sans distinguer l'idée principale et les idées secondaires du message.	1

- L'utilisation du jugement d'experts
  Contrairement à la situation où l'on peut faire appel à l'ordinateur pour corriger les réponses de l'élève ou à une grille fermée qui ne fait pas appel au jugement du correcteur, une mesure axée sur les performances complexes repose sur le jugement d'experts. L'enseignant est alors considéré comme

un des experts possibles. À ce titre, une telle mesure prend son inspiration des situations sportives, par exemple, où la performance d'un athlète est jugée par des experts de la discipline concernée.

2 L'instrumentation pour l'évaluation en situation authentique

La mesure des performances complexes peut se faire de deux façons : soit à partir de tâches spécifiques soumises à l'élève, soit à partir de l'utilisation du portfolio.

2.1 La mesure à partir des tâches spécifiques

Au moment de l'élaboration des tâches nécessaires pour mesurer des performances complexes, l'enseignant doit penser aux caractéristiques organisationnelles et aux types de performances qu'exigent ces tâches.

Les tâches peuvent se diviser, sur le plan de l'organisation, en tâches qui se réalisent durant les heures de classe et en tâches qui débordent le temps normal de la classe. Les tâches peuvent être de réalisation individuelle ou de groupe. Dans le contexte d'une évaluation authentique, on a généralement recours à des tâches de situation. Celles-ci, en plaçant l'élève dans des situations contextualisées, feront appel non seulement aux connaissances déclaratives ou procédurales, mais aussi aux connaissances conditionnelles.

Plusieurs auteurs ont proposé des tâches qui permettent de mieux mesurer des habiletés intellectuelles de haut niveau chez les élèves. Marzano *et al.* (1993), par exemple, proposent un ensemble de tâches de situation qui permettent de mesurer des performances complexes. Ces auteurs classent les tâches selon le *type de performance* qu'elles induisent chez l'élève. Ils présentent des tâches *de comparaison, de classification, d'induction et de déduction,* des tâches *d'analyse d'erreurs, d'argumentation, de mise en perspective des idées divergentes,* des tâches *de prise de décisions, d'élaboration de définition, de recherche historique ou scientifique, de résolution de problèmes* et des tâches *d'invention.*

Le ministère de l'Éducation du Québec, dans les programmes d'études élaborés pour l'ensemble de la province, définit les opérations intellectuelles que les élèves du secondaire doivent pouvoir accomplir à la suite des apprentissages réalisés dans chacun des programmes d'études. En voici quelques exemples.

Tableau 7.1 **Exemples d'opérations intellectuelles liées à une discipline**

Disciplines	Opérations intellectuelles retenues
Mathématique	• Mathématiser (illustrer, transposer, traduire, etc.), • opérer (calculer, résoudre, transposer, vérifier, etc.), • analyser ou synthétiser (déduire, conclure, prouver et expliquer).
Français	• Pour la production d'un discours – choisir, organiser et appliquer. • Pour la compréhension d'un discours – identifier, expliquer et réagir.
Anglais langue seconde	• Pour la compréhension de la langue – déduire, découvrir, repérer, rechercher et comparer. • Pour la production d'un discours – réutiliser, interroger, affirmer et discuter.
Sciences physiques	• Caractériser, mettre en relation et résoudre des problèmes.
Histoire	• Décrire, analyser et synthétiser.
Géographie	• Situer (localiser un espace ou une réalité géographique), • décrire (caractériser, reconnaître une réalité géographique), • mettre en relation (établir un rapport de similitudes, de différences ou d'interdépendance et préciser les causes ou les conséquences de deux ou de plusieurs réalités géographiques).

2.1.1 L'élaboration d'une tâche

La figure 7.1 présente, à titre d'exemple, une tâche dite d'induction, préparée par Marzano *et al.* (1993) et que nous avons adaptée. Nous utiliserons cette tâche pour en faire ressortir la structure générale, c'est-à-dire :

- une mise en situation qui contextualise la tâche. La mise en situation vise alors à donner à l'élève une meilleure représentation de la tâche et à stimuler son intérêt pour une telle activité.
  Exemple
  Les supermarchés dépensent beaucoup d'argent chaque semaine pour expédier du matériel publicitaire annonçant leurs soldes. Chaque supermarché déclare avoir de meilleurs prix que ceux du concurrent.
  Soulignons toutefois que la mise en situation va plus loin que ce texte. On peut considérer l'ensemble de la tâche comme une mise en situation complète. Cependant, une mise en situation de départ, comme celle de l'exemple, demeure utile pour le débutant qui rédige une tâche pour la première fois.

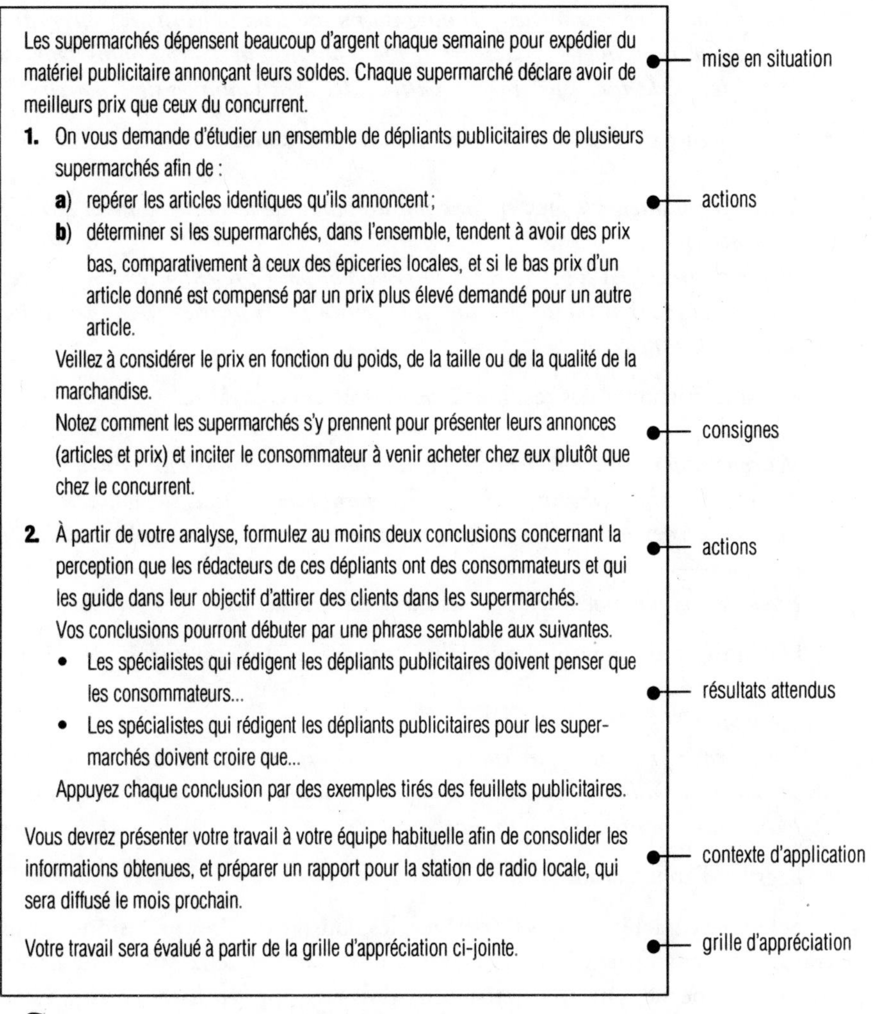
Les supermarchés dépensent beaucoup d'argent chaque semaine pour expédier du matériel publicitaire annonçant leurs soldes. Chaque supermarché déclare avoir de meilleurs prix que ceux du concurrent.

1. On vous demande d'étudier un ensemble de dépliants publicitaires de plusieurs supermarchés afin de :

a) repérer les articles identiques qu'ils annoncent;

b) déterminer si les supermarchés, dans l'ensemble, tendent à avoir des prix bas, comparativement à ceux des épiceries locales, et si le bas prix d'un article donné est compensé par un prix plus élevé demandé pour un autre article.

Veillez à considérer le prix en fonction du poids, de la taille ou de la qualité de la marchandise.

Notez comment les supermarchés s'y prennent pour présenter leurs annonces (articles et prix) et inciter le consommateur à venir acheter chez eux plutôt que chez le concurrent.

2. À partir de votre analyse, formulez au moins deux conclusions concernant la perception que les rédacteurs de ces dépliants ont des consommateurs et qui les guide dans leur objectif d'attirer des clients dans les supermarchés.

Vos conclusions pourront débuter par une phrase semblable aux suivantes.

- Les spécialistes qui rédigent les dépliants publicitaires doivent penser que les consommateurs...
- Les spécialistes qui rédigent les dépliants publicitaires pour les supermarchés doivent croire que...

Appuyez chaque conclusion par des exemples tirés des feuillets publicitaires.

Vous devrez présenter votre travail à votre équipe habituelle afin de consolider les informations obtenues, et préparer un rapport pour la station de radio locale, qui sera diffusé le mois prochain.

Votre travail sera évalué à partir de la grille d'appréciation ci-jointe.

Figure 7.1 **Exemple d'une tâche dite d'induction**

- les actions principales que doit mener l'élève. Il s'agit de préciser la tâche proprement dite et de déterminer les habiletés complexes que l'élève doit utiliser.

  Exemple

  1. On vous demande d'étudier un ensemble de dépliants publicitaires de plusieurs supermarchés afin de :

  a) repérer les articles identiques qu'ils annoncent;

  b) déterminer si les supermarchés, dans l'ensemble, tendent à avoir des prix bas, comparativement à ceux des épiceries locales, et si le bas prix d'un article donné est compensé par un prix plus élevé demandé pour un autre article.

2. *À partir de votre analyse, formulez au moins deux conclusions concernant la perception que les rédacteurs de ces dépliants ont des consommateurs et qui les guide dans leur objectif d'attirer des clients dans les supermarchés.*

- les consignes ou précisions facilitant le travail demandé.
  Exemple
  Veillez à considérer le prix en fonction du poids, de la taille ou de la qualité de la marchandise.
  Notez comment les supermarchés s'y prennent pour présenter leurs annonces (articles et prix) et inciter le consommateur à venir acheter chez eux plutôt que chez le concurrent.
- les caractéristiques des résultats attendus pour cette tâche.
  Exemple
  Vos conclusions pourront débuter par une phrase semblable aux suivantes.
  Les spécialistes qui rédigent les circulaires doivent penser que les consommateurs...
  Les spécialistes qui rédigent les circulaires pour les supermarchés doivent croire que...
  Appuyez chaque conclusion par des exemples tirés des feuillets publicitaires.
- la définition d'un auditoire ou d'un contexte réel d'application des résultats des actions.
  Exemple
  Vous devrez présenter votre travail à votre équipe habituelle afin de consolider les informations obtenues, et préparer un rapport pour la station de radio locale, qui sera diffusé le mois prochain.
- la grille d'appréciation.

Selon les caractéristiques des élèves, les consignes et les précisions sur le travail peuvent varier. Pour les élèves du primaire et ceux qui fréquentent une classe spéciale, un soin particulier doit être apporté à ces consignes et ces précisions. Pour les élèves de niveau plus avancé, l'enseignant pourra donner moins souvent des consignes et des précisions, ou même pas du tout, selon les buts qu'il vise. Il s'agira alors d'une situation où l'élève aura à résoudre un problème plus ou moins indéfini et flou. Comme le soulignent Frederiksen (1984) et Bennett (1993), les problèmes que l'on éprouve dans la réalité sont généralement flous et indéterminés.

L'élaboration d'une grille d'appréciation Compte tenu de l'importance que revêt la grille d'appréciation dans l'élaboration d'une tâche, nous croyons nécessaire de lui réserver un traitement plus approfondi.

La mesure des performances, complexes ou non, en situation authentique ou non, évoque le recours à des tâches évaluatives auxquelles est associée une grille d'appréciation permettant aux juges d'exercer leur jugement.

Dans leur démarche d'appréciation de la performance de l'élève devant une tâche, les juges utilisent des critères bien définis et qui leur sont familiers. Le mot « rubrique » est de plus en plus utilisé pour nommer ces critères. Le terme « rubrique » vient du latin *rubrica,* qui signifie « terre rouge, ocre », la substance utilisée dans l'Antiquité pour marquer des événements importants. Ces rubriques constituent, pour nous, les attributs critiques ou essentiels de la compétence que l'on veut mesurer. Chaque rubrique ou dimension de la compétence décrit un ensemble de performances observables qui vont de la performance la plus élevée à la performance la moins acceptable.

Afin de mieux évaluer la progression de l'élève vers la performance la plus élevée, dans le but de l'aider à améliorer son apprentissage, les auteurs s'entendent pour définir un intervalle de performances selon une échelle à trois, quatre ou cinq niveaux. Dans les pages qui suivent, nous présenterons quelques exemples[1] de rubriques et de niveaux de performance qui ont été utilisés dans certains milieux scolaires. Ces instruments sont présentés dans l'unique but de favoriser une meilleure vision de ce que peut être un instrument mesurant des performances complexes.

Nous donnerons aussi des exemples d'instruments de mesure de performances complexes. Selon les caractéristiques de la tâche, on classe ces instruments suivant qu'ils induisent ou non une situation d'évaluation plus ou moins authentique.

Exemple 1 : Mesure de la performance en mathématique (résolution de problèmes)

Avec le beau temps arrive la période des ventes-débarras. Votre mère fait appel à vous pour l'aider à préparer la présentation des articles qu'elle se propose de vendre demain, samedi.

Elle veut mettre en vente 20 vases de forme carrée qui mesurent chacun 10 cm de côté. Elle aimerait aussi vendre 30 cache-pots qui mesurent chacun 20 cm de long sur 15 cm de large. Enfin, elle veut se débarrasser des 50 bibelots qui traînent dans le sous-sol. Ces bibelots mesurent en moyenne 5 cm^2 chacun.

Votre mère ne dispose que de deux tables pour installer les articles. L'une mesure 150 cm sur 60 cm et l'autre, 125 cm sur 95 cm. Le permis de vente accordé par la Ville, qui a coûté 5 $, précise que votre mère a droit à une seule table.

1. Nous remercions les étudiants inscrits en formation initiale des maîtres à l'Université de Sherbrooke (troisième année, automne 1997) qui nous ont fourni ces exemples.

Votre mère vous demande :

1) de lui installer la bonne table ;
2) d'indiquer le prix de chaque catégorie d'articles qu'elle veut vendre sachant qu'elle veut réaliser un bénéfice de 50 $.

Elle s'attend aussi à ce que vous lui remettiez, sur une feuille, un tableau complet précisant les articles à vendre, leur quantité, le prix à l'unité, les sommes totales et le bénéfice qu'elle réalisera.

Votre travail sera évalué à partir de la grille suivante[2] (*voir la figure 7.2*).

R1.[3] Maîtrise du contenu mathématique	• Applique avec aisance et sans erreur les concepts, les opérations et les règles de transformation appropriés.	4
	• Applique bien, mais avec des erreurs minimes, les concepts, les opérations et les règles de transformation étudiés.	3
	• Fait plusieurs erreurs dans l'utilisation des concepts, des opérations et des règles de transformation étudiés.	2
	Fait de nombreuses erreurs d'application.	1
R2. Capacité à résoudre des problèmes	**a)** Utilisation efficace des informations	
	• Repère avec précision toutes les informations pertinentes et fait ressortir des informations manquantes.	4
	• Repère toutes les informations pertinentes.	3
	• Repère la plupart des informations pertinentes.	2
	• Omet plusieurs informations pertinentes.	1
	b) Démarche de résolution du problème	
	• Présente une solution efficace et très satisfaisante au problème.	4
	• Présente une solution acceptable au problème.	3
	• Présente une solution pas tout à fait acceptable.	2
	• N'arrive pas à trouver de solution.	1
R3. Communication	• Communique clairement et avec précision les résultats obtenus tout en utilisant efficacement le support de communication.	4
	• Communique clairement les résultats obtenus en utilisant assez bien le support de communication.	3
	• La communication des résultats n'est pas tout à fait claire.	2
	• La communication des résultats est incompréhensible.	1

Figure 7.2 **Grille d'appréciation de la résolution de problèmes mathématiques (exemple 1)**

2. L'élève qui se situe au niveau 1 ou 2 pourra, avec l'aide de l'enseignant, tendre vers un niveau supérieur (3 ou 4).
3. **R1.** indique la rubrique 1 (une dimension importante de la performance en mathématique).

Le choix des trois rubriques retenues dans la grille de l'exemple exprime évidemment les attentes de l'évaluateur par rapport aux performances à observer. Un autre évaluateur pourrait proposer d'autres rubriques. Voyons ce que ces rubriques évaluent.

- *Maîtrise du contenu mathématique :* cette dimension veut évaluer les connaissances procédurales liées aux concepts, aux opérations et aux règles de transformation étudiés en classe.
- *Capacité à résoudre des problèmes :* cette dimension porte sur l'évaluation de la performance de l'élève pour ce qui est de résoudre des problèmes plus ou moins complexes. Cette dimension est très importante ici, car elle permet de voir si l'élève est capable d'appliquer les connaissances déclaratives, procédurales et conditionnelles pour trouver une solution à un problème susceptible de survenir dans la vie courante.
- *Communication :* l'importance de cette dimension se justifie dans la mesure où nous croyons que la communication constitue un élément important de tout contexte social. La solution d'un problème devient intéressante quand l'individu est capable de la communiquer avec efficacité et même de convaincre les autres de sa valeur.

Exemple 2 : Mesure de la performance en français (communication écrite)

À l'hôpital Sainte-Justine se trouvent hospitalisés de nombreux enfants âgés de 10 ans. Ils ne peuvent ni retourner chez eux ni aller à l'école. Notre école veut leur offrir un recueil d'histoires qui intéressent les enfants de cet âge. Vous devez écrire une histoire à leur intention. Les meilleurs textes seront réunis en un recueil qui sera publié par l'hôpital et remis gratuitement aux enfants.

Votre texte doit raconter une courte histoire ne dépassant pas deux pages. Il peut s'agir d'un récit véridique ou d'une histoire imaginaire. L'histoire doit être plaisante et amusante.

Le jury qui choisira les textes utilisera la grille suivante (*voir la figure 7.3, page 90*).

Critère	Description	Note
R1. Organisation du texte	• Le texte est parfaitement structuré : toutes les idées sont bien regroupées, il n'y a aucune contradiction entre elles, une très bonne utilisation est faite du temps des verbes.	4
	• Le texte est bien structuré : toutes les idées sont bien regroupées, il n'y a presque pas de contradictions entre elles, une bonne utilisation est faite du temps des verbes.	3
	• Le texte est mal structuré : certaines idées sont mal placées, il y a des contradictions entre certaines idées, une mauvaise utilisation est faite du temps des verbes.	2
	• Le texte est très mal structuré, il est incohérent.	1
R2. Organisation de la phrase	• Les signes de ponctuation sont utilisés adéquatement et toutes les phrases sont bien construites.	4
	• Il y a quelques fautes de ponctuation (2 ou 3), mais toutes les phrases ont du sens et sont bien construites.	3
	• Plusieurs phrases présentent des fautes de construction et de sens (nombre de fautes inférieur à 7).	2
	• Presque toutes les phrases comportent des fautes de construction et de sens (nombre de fautes supérieur à 7).	1
R3. Respect du code lexical	• Les mots sont écrits correctement (moins de deux fautes).	4
	• Les mots sont écrits correctement (nombre de fautes entre 1 et 7).	3
	• Plusieurs mots sont écrits incorrectement (nombre de fautes entre 7 et 15).	2
	• Presque tous les mots sont mal orthographiés (nombre de fautes supérieur à 15).	1
R4. Respect du code grammatical	• Les accords en genre et en nombre sont faits très correctement, de même que les finales des verbes (moins de 2 fautes).	4
	• Les accords en genre et en nombre sont corrects, de même que les finales des verbes (nombre de fautes entre 1 et 7).	3
	• On décèle plusieurs fautes dans l'un ou l'autre cas (nombre de fautes entre 7 et 15).	2
	• Il y a beaucoup trop de fautes dans les deux cas.	1
R5. Intérêt du récit	• Le récit est très intéressant, amusant et original.	4
	• Le récit est plutôt intéressant, amusant et original.	3
	• Le récit est intéressant, mais manque d'originalité.	2
	• Le récit manque d'intérêt.	1

Figure 7.3 **Grille d'appréciation de la communication écrite en français (exemple 2)**

Exemple 3 : Performance en histoire (analyse critique)

Tâche

Le nouveau secrétaire général de l'Organisation des Nations Unies a retenu votre candidature pour lui dresser un portrait de l'un des nombreux conflits ayant marqué les cinquante dernières années. Il insiste sur l'importance qu'il accorde aux jeunes comme vous pour faire avancer les réflexions sur les meilleures façons de régler les conflits mondiaux. Il vous demande donc de choisir un conflit contemporain qui suscite chez vous des interrogations et d'en faire une analyse critique que vous lui remettrez dans un rapport officiel. Par la suite, on vous invitera à exposer vos conclusions devant un comité d'études mis sur pied pour l'occasion.

Consignes

Votre travail comprend un rapport écrit et un rapport oral. Vous travaillerez en équipe de deux.

Votre rapport écrit comptera environ six pages. Il devra être dactylographié à double interligne et être remis à la fin du mois de mai. Dans ce rapport, le lecteur doit percevoir qu'il y a eu une critique de l'information traitée. En d'autres termes, vous devez donner à votre analyse une couleur personnelle.

Dans la présentation orale, un des membres de l'équipe présentera un résumé des faits marquants du conflit, l'autre fera le point sur la situation étudiée. Vous disposerez de 10 minutes pour cette présentation devant la classe.

Marche à suivre

1) Former une équipe de deux.
2) Décrire une problématique du conflit choisi.
3) Poser une hypothèse en lien avec la problématique.
4) Faire de la recherche en bibliothèque.
5) Comparer et analyser les différents points de vue exposés dans les écrits consultés et en faire la synthèse.
6) Confirmer ou infirmer l'hypothèse de départ.
7) Rédiger le rapport selon les règles étudiées.

Vous pourrez, tout au long de votre travail, consulter votre enseignant ou lui demander de l'aide.

Le secrétaire général appréciera votre rapport à partir de la grille ci-jointe (*voir la figure 7.4, page 92*).

Critère	Description	Note
R1. Respect de la démarche historique	• Les étapes de la démarche historique sont entièrement respectées.	4
	• Les étapes de la démarche historique sont partiellement respectées.	3
	• Les étapes de la démarche historique sont peu respectées.	2
	• Les étapes de la démarche historique ne sont pas du tout respectées.	1
R2. Qualité de l'analyse critique	• Le rapport fait ressortir les points essentiels du conflit et pose un jugement cohérent.	4
	• Le rapport fait ressortir la majorité des points essentiels du conflit et pose un jugement cohérent.	3
	• Le rapport fait ressortir quelques points essentiels du conflit et pose un jugement plus ou moins cohérent.	2
	• Il est difficile de déterminer les points essentiels du conflit et le jugement qui en découle est soit incohérent, soit absent.	1
R3. Communication orale	• La communication est claire et compréhensible par l'auditoire.	4
	• Certains éléments de la communication sont ambigus, mais elle demeure compréhensible pour l'auditoire.	3
	• L'ambiguïté du message rend la compréhension difficile pour l'auditoire.	2
	• La communication est confuse et décousue.	1
R4. Qualité du français	• Le rapport écrit compte moins de 5 fautes.	4
	• Le rapport écrit compte entre 5 et 10 fautes.	3
	• Le rapport écrit compte entre 10 et 15 fautes.	2
	• Le rapport écrit compte plus de 15 fautes.	1

Figure 7.4 **Grille d'appréciation de l'analyse critique en histoire (exemple 3)**

Importance de la grille d'appréciation pour les élèves Une des fonctions de la grille d'appréciation est de permettre à l'élève de prendre connaissance des caractéristiques d'une tâche qui est réalisée avec efficacité. La grille doit l'aider à faire une meilleure autorégulation au moment de la réalisation de la tâche. Elle lui permettra surtout de juger du type de rétroaction à rechercher. Il n'est pas évident que l'usage de grilles d'appréciation auprès des élèves peut en soi les amener à passer d'un modèle où le résultat chiffré (la note en pourcentage) semble être la performance visée à un modèle qui les invite à prendre en considération les différentes étapes de la réalisation d'une performance. L'enseignant ne devrait donc pas seulement proposer une grille d'appréciation dans la tâche présentée à l'élève, mais aussi porter une attention particulière à la formation des élèves à l'utilisation efficace de telles grilles. Des grilles comme celles que nous venons de présenter sont assez complexes pour les élèves, particulièrement pour ceux du primaire.

L'enseignant devrait commencer avec des grilles plus simples lorsque celles-ci deviennent un objet d'enseignement. Nous suggérons que l'enseignant débute avec les listes de vérification.

Par exemple, à la suite d'une tâche de composition écrite, l'enseignant pourra inviter les élèves à répondre à une liste de vérification (*voir la figure 7.5*).

L'enseignant pourra par la suite initier les élèves à l'utilisation de grilles de plus en plus complexes. Il pourra, par exemple, demander aux élèves de construire une grille d'appréciation de l'exposé oral qu'ils auront à faire en classe.

2.1.2 Les étapes d'élaboration d'une tâche

Nous avons vu plusieurs exemples de tâches qui tentent de refléter le plus possible des situations authentiques. L'expérience nous démontre que, lorsque vient le moment d'élaborer de telles tâches, des difficultés surgissent. Les étapes décrites ci-dessous ont été expérimentées avec nos étudiants en formation des maîtres. Elles les ont aidés à réaliser plus facilement des tâches d'évaluation en situation authentique.

Étape 1 : Déterminer le contenu de la discipline La première étape consiste à déterminer le *contenu de la discipline,* qui fera l'objet d'une évaluation, et le *niveau scolaire* concerné. Par exemple, un enseignant pourra s'intéresser à la production du discours dans le cours de français de la quatrième année du primaire. Un autre choisira le phénomène de la photosynthèse en biologie, première année du secondaire.

Étape 2 : Déterminer l'action à partir de laquelle la performance sera évaluée Puisque la performance s'observe à partir d'une construction ou d'une production que doit faire l'élève, il faut, à cette étape, déterminer la production ou la construction observable qui exigera de l'élève la manifestation de la performance. Cette production ou cette construction doit posséder les caractéristiques nécessaires pour faire émerger de la part de l'élève les connaissances déclaratives, procédurales et conditionnelles. Par exemple, l'enseignant pourra retenir un *texte argumentatif* comme production par l'élève. En sciences ou en mathématique, il pourra s'agir de la *construction d'un tableau à double entrée, d'un graphique, d'un modèle, d'une démarche,* etc. En sciences humaines, l'enseignant pourra choisir *la construction d'un trajet,*

1.	Ai-je trouvé un titre à ma composition ?	Oui	Non
2.	Ai-je vérifié l'orthographe des mots utilisés ?	Oui	Non
3.	Est-ce que mes phrases commencent par une majuscule et se terminent par un point ?	Oui	Non
4.	Et ainsi de suite.		

Figure 7.5 **Exemple d'une liste de vérification**

l'élaboration d'un plan ou d'une carte géographique, la production d'un rapport, d'un document, etc.

Étape 3 : Préciser les connaissances nécessaires À cette étape, il convient de préciser, en les écrivant sous forme de performance, les *connaissances déclaratives,* les *connaissances procédurales* et les *connaissances conditionnelles* nécessaires à la réussite par l'élève de la tâche qui lui sera présentée. Dans la pratique actuelle de l'évaluation, les connaissances déclaratives et procédurales sont les plus faciles à cerner. Souvent, les connaissances procédurales sous-tendent les connaissances déclaratives.

Exemple 1 Connaissance procédurale en mathématique : résoudre avec précision un ensemble d'équations du second degré.

Dans cet exemple, les connaissances déclaratives (calculs mathématiques nécessaires) participent à la démarche de résolution. Si on veut que la finalisation porte sur des connaissances conditionnelles, on pourra définir la performance de la façon suivante.

Exemple 2 Connaissance conditionnelle : choisir et expliquer une solution permettant de résoudre le plus efficacement possible le problème présenté.

Pour évaluer les connaissances conditionnelles comme dans le cas de l'exemple précédent, il faut bien sûr que les données du problème ne se limitent pas aux équations du second degré. L'enseignant devra faire en sorte que le jugement de l'élève soit mis à contribution pour opérer un choix parmi plusieurs solutions.

Il peut y avoir des situations où l'enseignant sera obligé de se limiter à des connaissances déclaratives. Ce n'est bien sûr pas l'idéal, mais des situations de pratiques de classe peuvent imposer de telles limitations. Par exemple, l'enseignant vient de voir les connaissances déclaratives et il veut vérifier si les élèves les ont bien apprises, comme dans l'exemple suivant.

Exemple 3 Connaissance déclarative en histoire : présenter dans l'ordre, en les commentant, les principales causes qui expliquent la révolte des Patriotes.

Il faut toutefois retenir que, pour qu'il y ait apprentissage durable, l'élève doit pouvoir mettre en œuvre les trois types de connaissances.

Étape 4 : Choisir les opérations intellectuelles nécessaires Il convient maintenant de choisir les types d'opérations intellectuelles que la tâche doit susciter chez l'élève. À titre d'exemple, voici quelques opérations intellectuelles possibles : *comparer, déduire, analyser, classer, argumenter, résoudre un problème, prendre une décision, prendre en considération des perspectives diverses et expérimenter.*

Nous avons aussi donné, à la page 84, des exemples d'opérations intellectuelles que le MEQ a adoptées concernant l'enseignement de certaines disciplines au secondaire. Ainsi, l'enseignant peut se référer aux programmes d'études lorsqu'il choisit des opérations intellectuelles. Il faut souligner ici que plus la tâche fait appel à plusieurs opérations intellectuelles, plus la complexité de la performance augmente. La première fois que l'on élabore une tâche en situation authentique, il est plus aisé de choisir deux opérations intellectuelles.

Revenons à l'exemple 1 ci-dessus. On pourra décider que la résolution des équations sera utile dans une tâche de *classification* et de *résolution de problèmes*. On fait donc appel à deux opérations intellectuelles (classifier et résoudre un problème) portant sur des connaissances procédurales.

Dans l'exemple 3, l'enseignant pourrait choisir de faire porter l'utilisation des connaissances déclaratives en histoire sur deux opérations intellectuelles telles que *déduire* et *argumenter*.

Étape 5 : Rédiger la tâche Au moment de la rédaction de la tâche, il faudra penser à une mise en situation le plus réaliste possible et assez authentique compte tenu des préoccupations des élèves. Il faut réfléchir au niveau de motivation ou d'intérêt que la mise en situation peut engendrer chez l'élève. Il faut aussi prévoir l'utilité pratique de la production ou de la construction que l'élève va réaliser. Ce peut être un destinataire ou un événement qui commande la production ou la construction.

Étape 6 : Rédiger la grille d'appréciation Une fois le contenu de la tâche rédigé, il faut définir la grille d'appréciation qui permettra d'évaluer l'efficacité de la tâche réalisée par l'élève. Puisque les tâches exigent généralement une production ou une construction de la part de l'élève et que celles-ci s'adressent à un destinataire, il est important de prévoir dans la grille la dimension « communication ». Celle-ci prendra en compte la manière dont l'élève s'y prend pour construire et communiquer sa production ou sa construction au destinataire tout en prenant en considération les caractéristiques de ce dernier. On trouvera donc, dans la grille, des rubriques liées aux *opérations intellectuelles* portant sur le contenu de la discipline et des rubriques touchant à la dimension *communication*.

Pour chacune des rubriques retenues, la grille décrit un ensemble de performances allant de celle qui est acceptable à celle qui serait inacceptable. La description des performances se fait dans la perspective d'expliciter aux élèves ce qui est considéré comme une réalisation efficace de la tâche et ce qui ne l'est pas. On utilise généralement les cotes *1, 2, 3* et *4* pour la graduation des niveaux de performances. Elles représentent des symboles permettant de situer sur l'échelle la performance observée. Bien sûr, l'enseignant peut transformer ces cotes en notes, soit en les pondérant, soit en les utilisant sans aucune pondération. Nous croyons qu'en attirant l'attention des élèves sur la description des performances plutôt que sur les cotes, on diminue la possibilité que les élèves réalisent la tâche uniquement pour obtenir une bonne note.

Étape 7 : Valider le contenu de la tâche Il y a deux façons de valider le contenu de la tâche. On peut mettre le texte de côté pendant un certain temps, puis le revoir pour s'assurer que la tâche élaborée reflète encore bien le contenu d'apprentissage enseigné et qu'elle répond bien aux exigences de validation de contenu énoncées au chapitre 9. L'autre façon de faire consiste à recourir à l'expertise d'une autre personne en lui présentant une grille de validation préparée à cet effet. La grille suivante (*voir la figure 7.6*) en est un exemple que l'on pourrait adapter ou compléter selon les besoins.

Contenu d'enseignement : ______________________________

Niveau scolaire des élèves (ordre et classe) : ______________________________

Performance à évaluer : ______________________________

Type de connaissances impliquées : ______________________________

Opérations intellectuelles demandées par la tâche : ______________________________

Échelle : 1 = Non 2 = Un peu 3 = Oui

Congruence

1. Y a-t-il congruence :			
• entre la tâche et le contenu d'enseignement?	1	2	3
• entre la tâche et la performance à évaluer?	1	2	3
• entre la tâche et les types de connaissances choisis?	1	2	3
• entre la tâche et les opérations intellectuelles visées?	1	2	3
2. La tâche fait-elle appel à plusieurs dimensions intellectuelles?	1	2	3
3. La tâche exige-t-elle des élèves une production ou une construction?	1	2	3
4. La tâche susciterait-elle chez les élèves un certain intérêt?	1	2	3
5. Les élèves seraient-ils motivés à réussir cette tâche?	1	2	3
6. La tâche suscite-t-elle des interactions élèves–enseignant?	1	2	3
7. Le temps accordé correspond-il à une certaine réalité?	1	2	3
8. La grille d'appréciation présente-t-elle une bonne description de chacune des performances possibles?	1	2	3
9. La grille tient-elle bien compte des diverses opérations intellectuelles visées?	1	2	3
10. La grille risque-t-elle d'inciter les élèves à travailler plus pour l'obtention de leur note que pour relever un défi?	1	2	3
11. Dans l'ensemble, la tâche risque-t-elle de pénaliser ou de favoriser certains groupes d'élèves?	1	2	3

Figure 7.6 **Exemple de grille de validation d'une tâche d'évaluation en situation authentique**

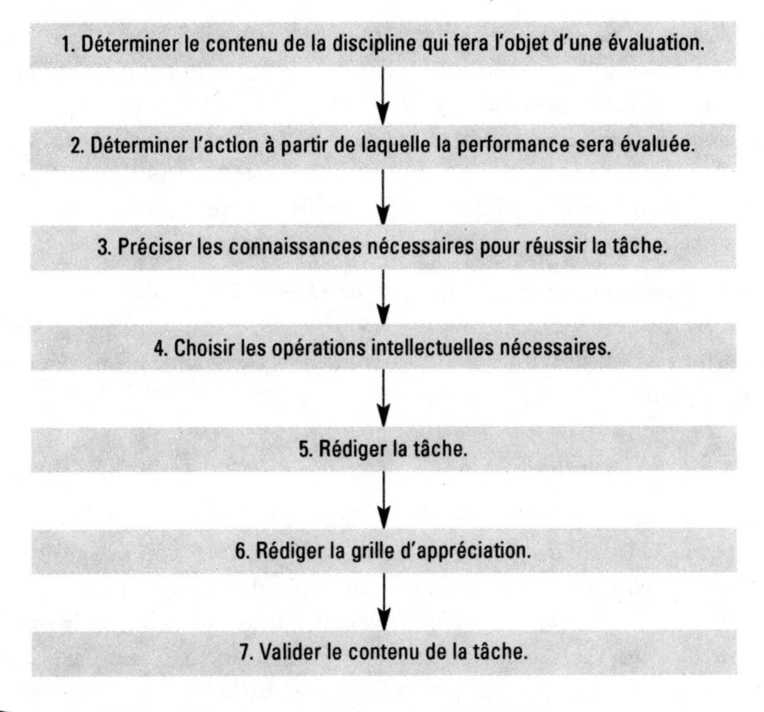

Figure 7.7 **Résumé des étapes d'élaboration d'une tâche**

La figure 7.7 permet une meilleure visualisation des étapes que nous venons d'étudier.

2.1.3 Les caractéristiques d'une tâche

Lorsque vient le moment de choisir ou d'élaborer une tâche, l'enseignant peut tenir compte des caractéristiques ci-dessous, qui semblent faire l'unanimité des spécialistes de la mesure des performances complexes. Pour Popham (1995), les tâches devraient avoir les caractéristiques que nous présentons ici. Notons que ces caractéristiques se trouvent dans la grille de validation de contenu que nous venons de présenter en exemple (*voir la figure 7.6*).

La tâche devrait être :

- *généralisable.* La performance de l'élève à une tâche peut être généralisable à des tâches comparables.
- *authentique.* La tâche représente une situation que l'élève peut connaître dans la vie extrascolaire.
- *multidisciplinaire.* La tâche porte sur plusieurs aspects de l'apprentissage et non sur un seul.
- *liée à l'enseignement.* La performance de l'élève à une telle tâche devrait être une conséquence de l'enseignement reçu.

- *équitable.* La tâche doit être équitable pour tous les élèves. Elle ne porte pas préjudice à l'élève en raison de son sexe, de son origine ethnique ou de son statut socioéconomique.
- *faisable.* La tâche est faisable et réaliste compte tenu du temps, du matériel et des ressources disponibles pour les élèves et pour l'enseignant.
- *de correction fiable.* La tâche doit permettre d'obtenir des réponses dont la correction est précise et fiable.

Dans la pratique courante, il n'est pas toujours possible de prendre en compte toutes ces caractéristiques. Cependant, l'enseignant doit considérer le but visé par l'évaluation et, vu les contraintes existantes, procéder à un choix judicieux qu'il peut expliciter.

2.2 Le portfolio

Nous avons précisé plus haut que l'évaluation en situation authentique peut se faire soit à partir de tâches de situation bien spécifiées, comme nous venons de le voir, soit par l'utilisation du portfolio. La mesure des performances à partir de tâches spécifiées, aussi authentique qu'on la veuille, présente toutefois certaines limites. Par exemple, une telle mesure ne nous renseigne pas sur les stratégies métacognitives utilisées par l'élève tout au cours de la réalisation de la performance. Il n'est pas tout à fait évident que cette mesure nous permette de relever des traces du processus essais et erreurs, et des ajustements faits par l'élève pour arriver à la performance observée. La mesure à partir du portfolio constitue alors un moyen de pallier ces limites. Dans les pages qui suivent, nous présenterons une définition du portfolio et donnerons des précisions sur la façon de l'utiliser en classe.

L'usage du portfolio, de plus en plus répandu aux États-Unis, se situe dans le courant d'un mouvement visant à rendre la situation d'examen de plus en plus authentique. L'examen en écriture, par exemple, devrait se rapprocher de la situation authentique de toute personne qui doit rédiger un texte et ne devrait pas être circonscrit dans un temps uniforme et standardisé.

2.2.1 Une définition

Le portfolio est un recueil de travaux d'un élève qui permet d'obtenir les informations nécessaires sur les habiletés, les idées, les efforts et les réalisations de l'élève comme conséquence d'un ensemble d'apprentissages effectués dans une discipline donnée ou dans plusieurs disciplines. La constitution d'un portfolio implique la *participation de l'élève* dans le choix des travaux à retenir et dans les critères utilisés pour le choix des travaux et le jugement porté sur leur qualité. Enfin, le portfolio contient les *réflexions* et les commentaires de l'élève quant à l'évaluation de son cheminement.

2.2.2 La participation de l'élève et sa réflexion

Bien qu'il soit possible à d'autres personnes (l'enseignant ou les parents de l'élève) de monter le portfolio de l'élève, la valeur pédagogique de cet instrument réside dans la démarche d'analyse et de réflexion que fait l'élève en utilisant les critères retenus pour décider quelles pièces il y inclura.

La réflexion que suscite chez l'élève l'élaboration d'un portfolio contribue, en grande partie, à intégrer l'évaluation à l'enseignement. Cette réflexion laisse voir :

- le rationnel à partir duquel l'élève choisit les pièces qu'il met dans le portfolio ;
- l'analyse que fait l'élève de ses travaux ou de ses productions avant d'arrêter son choix ;
- les explications de l'élève sur les apprentissages faits.

Ces informations permettront alors à l'enseignant de comprendre le processus d'apprentissage de l'élève et d'ajuster son enseignement en conséquence.

2.2.3 Les buts de l'utilisation du portfolio

Si le but visé par l'usage d'un portfolio n'est pas clair, celui-ci risque de n'être qu'une sorte de reliure contenant un ensemble de travaux d'élèves. Le portfolio est avant tout un instrument permettant l'évaluation des apprentissages des élèves. Cette évaluation peut s'intéresser au processus d'apprentissage, au produit de l'apprentissage ou aux deux. La responsabilité de cette évaluation peut incomber totalement à l'enseignant ou à la commission scolaire, ou au ministère de l'Éducation. Lorsque l'enseignant en est responsable, le portfolio peut viser à :

- aider l'élève dans le processus d'apprentissage ;
- informer sur les apprentissages réalisés par les élèves ;
- exposer publiquement la qualité des projets réalisés par les élèves d'une classe.

Pour toutes ces considérations, l'enseignant qui se propose d'utiliser le portfolio doit en définir clairement le but.

Le portfolio lui permet de mieux évaluer le développement et le progrès des élèves.

- Il permet de rendre plus efficace la communication entre l'enseignant et les parents au sujet de l'évaluation du progrès et du cheminement de l'élève.
- Il permet de mieux faire participer l'élève à la progression de son apprentissage (responsabilisation de l'élève face à son apprentissage).
- Il peut aider l'enseignant à mieux évaluer la portée de son enseignement sur l'apprentissage des élèves.

2.2.4 La constitution d'un portfolio : le contenu et la sélection des pièces

Dans un portfolio, on trouve généralement les divers travaux demandés et exécutés par l'élève dans le cadre d'un programme d'études ou d'un ensemble de programmes d'études. Le contenu d'un portfolio dépend du but visé par l'enseignant (encourager et motiver l'élève, évaluer l'impact de l'enseignement sur l'apprentissage, procéder à l'évaluation sommative, etc.). Le contenu dépend aussi du type de personne à qui est destiné le portfolio (élèves, parents, administrateurs, employeurs potentiels, etc.). Enfin, le contenu peut tenir compte de ce qui paraît le plus susceptible d'intéresser le destinataire (les meilleurs travaux de l'élève, le cheminement d'un élève dans la maîtrise d'une habileté donnée, le développement scolaire de l'élève dans plusieurs domaines de son apprentissage, etc.).

Lorsque l'enseignant choisit d'utiliser le portfolio, il doit guider les élèves dans le choix des pièces à y inclure. Il peut décider de recourir à une *approche très structurée* en obligeant les élèves à mettre dans leur portfolio des productions ou des travaux bien précis (par exemple, chaque élève doit inclure dans son portfolio une lettre d'invitation). Il peut aussi utiliser une *approche très ouverte* (par exemple, l'élève choisit lui-même les pièces qui composeront son portfolio). Il est conseillé d'utiliser une approche plutôt modérée en définissant, pour les élèves, les types de pièces qu'on devrait trouver dans le portfolio, mais en leur laissant le choix des pièces comme telles (par exemple, chaque élève doit inclure dans son portfolio trois compositions écrites : une de type informatif, une de type ludique et une de type poétique).

Généralement, c'est l'élève qui choisit les travaux les plus pertinents à mettre dans son portfolio. Cela se fait évidemment à la suite des consignes données par l'enseignant. Dans un tel cas, il est suggéré à l'élève d'*expliquer par écrit, dans le portfolio, les raisons du choix des travaux retenus pour le constituer.* En écriture, par exemple, cela pourrait être la démonstration d'une progression comprenant la composition la plus faible (selon le jugement de l'élève), une composition acceptable et une très bonne composition. En mathématique, les travaux pourraient indiquer la progression de l'élève en résolution de problèmes. Les commentaires de l'élève sur le choix des travaux représentatifs de sa progression sont aussi importants, sinon davantage, que l'assemblage des travaux. Ils permettent à l'élève de développer ses habiletés relatives à la réflexion et au jugement critique.

2.2.5 La gestion des portfolios

Il faut souligner que le portfolio est avant tout un outil préparé et géré par l'élève. Le rôle de l'enseignant consiste à s'assurer que l'élève gère bien son portfolio. Le cahier d'exercices d'un élève n'est-il pas géré par l'élève ? Tout comme pour les cahiers d'exercices, l'enseignant interviendra surtout dans le but d'aider l'élève dans cette nouvelle responsabilité et aussi pour évaluer les apprentissages réalisés par l'élève. Il faut rappeler que l'utilisation du portfolio vise aussi à faire jouer à l'élève un rôle actif dans l'évaluation de la progression de ses apprentissages.

2.2.6 L'évaluation du contenu d'un portfolio

Quand le but visé par l'enseignant porte principalement sur l'encouragement et la motivation de l'élève, ou sur l'évaluation de l'impact de son enseignement sur les élèves, il est recommandé d'utiliser des critères d'évaluation du contenu définis par la classe ou par l'élève. Cette façon de faire aide à développer chez les élèves des habitudes de réflexion et d'autorégulation. Si le but poursuivi relève de l'évaluation sommative pour des fins de certification, de classement ou de promotion, les critères devront être dictés par l'enseignant à partir de ses propres critères ou à partir des critères proposés par l'école ou par la commission scolaire.

3 L'évaluation en situation authentique : quelques problèmes et solutions

L'évaluation en situation authentique n'est pas sans présenter des limites importantes. En se basant sur la mesure des performances complexes, mesure qui fait appel à une tâche complexe (au lieu de plusieurs questions) et au jugement des correcteurs, l'évaluation en situation authentique pose le problème de la *fiabilité des décisions* prises à partir de telles mesures. En établissant comme condition d'évaluation le recours à des situations tirées de la vie extrascolaire, l'évaluation en situation authentique soulève le problème de la pertinence des *situations extrascolaires.* Enfin, la mise en place d'une évaluation en situation authentique entraîne une augmentation appréciable de la tâche des enseignants. Nous allons voir ces limites en détail.

3.1 Le problème de la fiabilité des décisions

Dans le cas des examens traditionnels, l'enseignant peut présenter à l'élève plusieurs questions qui peuvent toucher à un domaine plus vaste de l'apprentissage fait par l'élève. Généralement, le score obtenu par l'élève est une somme de bonnes réponses. Le nombre de questions et l'objectivité de la correction minimisent les erreurs qui peuvent être associées au score final de l'élève. Par exemple, pour savoir si l'élève Ella Fallu est capable de faire des additions de fractions, on peut lui présenter en 20 minutes une vingtaine d'additions de fractions à faire. Supposons que, pour la bonne réponse à chaque addition de fractions, on accorde 1 point, l'élève, en obtenant 18 bonnes réponses sur 20 peut être déclarée comme ayant bien réussi l'addition des fractions. On peut alors faire une généralisation en disant que cette élève possède l'habileté à additionner les fractions. Cette généralisation est possible dans la mesure où les 20 questions constituent un échantillon représentatif des additions de fractions possibles et que les diverses erreurs potentielles (généralement rencontrées dans l'administration d'un examen) sont minimisées.

La quantité d'observations faites sur un événement permet de diminuer les risques d'erreurs d'interprétation des attributs de l'événement. Une telle situation est loin d'être le cas de la mesure des performances complexes, qui présente généralement une tâche dont la réalisation, à cause justement de sa complexité, demande beaucoup de temps à l'élève. Il est difficile, sinon impossible, de présenter à l'élève plusieurs tâches dans un temps raisonnable. Alors, prendre une décision par rapport à un élève à partir de tâches assez circonscrites devient difficile. Peut-on inférer que l'élève maîtrise une habileté donnée à partir de peu d'observations ?

Puisqu'il est difficile d'assurer une bonne fiabilité des décisions selon la théorie classique des tests, plusieurs auteurs ont tenté de regarder du côté de la validité. Ils font alors ressortir l'importance du concept de validité, particulièrement la validité de construit, donnant au concept de fidélité une place secondaire (Linn *et al.*, 1991 ; Messick, 1992, 1994). Moss (1995) croit qu'une évaluation qui se base sur l'accomplissement d'une variété de tâches complexes faisant appel à une intégration des savoirs rend impossible toute distinction entre validité et fidélité. De plus en plus, les chercheurs associent au concept de validité les conséquences sociales d'une décision prise à la suite d'une démarche évaluative (Cronbach, 1988 ; Linn *et al.*, 1991 ; Messick, 1989 ; Moss, 1992), rompant ainsi avec la tradition qui limitait la validité uniquement à la recherche d'une meilleure interprétation des résultats de l'évaluation. Pour Linn (1994), cette nouvelle vision de la validité serait bien accueillie par les tenants d'une évaluation axée sur les performances, eux qui réclamaient un élargissement de la notion de validité dans le contexte d'une évaluation authentique. Nous pouvons ajouter qu'en contexte de classe les diverses interactions que l'évaluation en situation authentique engendre (élèves–élèves ; élèves–enseignant) permettent à l'enseignant d'avoir une meilleure idée du processus d'apprentissage et de la performance de l'élève. Ces diverses observations et le fait aussi que l'enseignant ne se base pas uniquement sur une seule source d'information pour prendre une décision, tout cela aide à atténuer le problème de fiabilité.

3.2 Le problème lié aux situations extrascolaires

Dans la pensée de Wiggins, qui est à l'origine de l'évaluation en situation authentique, une vraie situation authentique place l'élève devant des problèmes que les adultes éprouvent dans la vraie vie. Or, il n'est pas évident que les activités qui se déroulent dans l'école tiennent toujours compte de la possibilité d'appliquer les connaissances scolaires dans la réalité qui existe hors des murs de l'école. Les enseignants semblent plutôt préoccupés par la maîtrise, par les élèves, des contenus nécessaires pour qu'ils soient admis à la classe supérieure. Il en est de même pour les parents. En conséquence, l'élève est amené à adopter une telle vision dans son fonctionnement scolaire. De plus, plusieurs contraintes du contexte scolaire risquent d'affecter la motivation des enseignants à mettre en place une évaluation qui reflète vraiment une situation authentique. Citons, par exemple, les difficultés généralement éprouvées au moment de la mise en place d'innovations pédagogiques dans certains milieux scolaires.

Mise en pratique

1. La direction de l'école où vous enseignez organise, dans le cadre d'une journée pédagogique, un ensemble d'ateliers sur de nouvelles approches pédagogiques afin que certains enseignants puissent ensuite en expérimenter quelques-unes dans leur classe.

   Le comité d'organisation vous demande de faire un exposé d'une demi-heure sur l'évaluation en situation authentique pour en présenter les avantages et les inconvénients.

   N'oubliez pas que votre communication doit inciter les participants à expérimenter cette approche dans leur classe.

   À la suite des exposés, les participants devront remplir la grille d'appréciation suivante (*voir la figure 7.8, page 104*), préparée par le comité d'organisation.

Titre de l'atelier : ____________________

Nom de l'animateur ou de l'animatrice : ____________________

Traitement du sujet

• Le traitement du sujet démontre une très bonne maîtrise.	4
• Le traitement du sujet démontre une certaine maîtrise.	3
• Le sujet est plus ou moins bien traité.	2
• L'animateur ou l'animatrice ne connaît pas bien son sujet.	1

Clarté de la communication

• Il a été très facile de suivre et de comprendre l'exposé.	4
• L'exposé était facile à comprendre, mais moins facile à suivre.	3
• Souvent, on se perdait dans des détails superflus.	2
• L'exposé m'a semblé décousu.	1

Intérêt pour le sujet

• L'animateur ou l'animatrice m'a donné le goût d'expérimenter cette approche.	4
• C'était intéressant, mais trop beau ; je vais réfléchir.	3
• Je ressens une certaine insécurité par rapport à cette approche.	2
• Le sujet n'a pas du tout suscité d'intérêt en moi.	1

Figure 7.8 **Grille d'appréciation des exposés**

2. Vous avez étudié l'évaluation en situation authentique. On vous demande de transformer l'une des deux questions[4] suivantes en tâche mesurant les performances complexes en respectant la structure d'une tâche de situation authentique. Vous devrez expliquer à votre classe les changements apportés et justifier votre décision.

   a) Quels sont les deux énoncés qui s'appliquent à la **société égyptienne** ?

   1) La création d'un système d'écriture : les hiéroglyphes.
   2) L'usage d'un nouveau moyen d'échange : la monnaie métallique.
   3) L'existence d'une religion basée sur la croyance en un seul dieu : monothéisme.
   4) La construction d'un vaste réseau routier : les routes dallées.
   5) L'existence d'un pouvoir politique détenu par une autorité unique : le pharaon.

4. La question **a)** provient d'un examen du ministère de l'Éducation du Québec de juin 1991 et porte sur l'Histoire générale, deuxième secondaire. La question **b)** est tirée d'un examen de mathématiques, première secondaire, administré en 1996 par une commission scolaire.

b) Marcel économise le tiers de ses revenus de la semaine. Il garde des enfants six heures à 4 $ l'heure. Il coupe le gazon chez deux de ses voisins, qui lui donnent chacun 8 $. Il reçoit 15 $ d'argent de poche de ses parents.
Écris la chaîne d'opérations qui représente ses économies.

3. Le conseil d'orientation de l'école Le Totem trouve que la commission scolaire n'a pas respecté sa politique d'évaluation des apprentissages qui stipule que l'évaluation de l'élève doit se faire en tenant compte des habiletés utilisables dans la vie courante. Le conseil croit que l'examen prescrit aux élèves inscrits au cours de mathématique 116 068-116 n'est pas conforme à cette politique. Il vous demande, à titre d'expert, d'analyser l'examen et de lui faire un rapport à sa prochaine réunion, le mois prochain. Voici un extrait des questions provenant de cet examen.

1) Quel est le résultat de la suite d'opérations suivante : $(6 \times 4 \div 4) + (14 \div 2)$?
a) 13 **b)** 8 **c)** 22 **d)** 12

2) Quelle est l'expression équivalant à : $8 + 2 \times 5 + 3 \times 4$?
a) $(8 + 2) \times (5 + 3) \times 4$
b) $((8 + 2) \times 5) + (3 \times 4)$
c) $8 + 2 \times (5 + 3 \times 4)$
d) $8 + (2 \times 5) + (3 \times 4)$

3) Dans quel nombre le chiffre 7 a-t-il la plus grande valeur ?
a) 3,1795 **b)** 3,7889 **c)** 3,9817 **d)** 3,9976

4) Nathalie a tondu des pelouses durant les vacances d'été. La première semaine elle a gagné 8,75 $. Elle a doublé cette somme la deuxième semaine. Elle a triplé cette même somme la troisième semaine. Nathalie a dépensé en moyenne 3,85 $ par semaine pendant cette période.
Combien d'argent reste-t-il à Nathalie après ces trois semaines ?
a) 14,70 $ **b)** 32,20 $ **c)** 40,95 $ **d)** 52,50 $

5) Un cirque a donné un spectacle de 3 heures sous un chapiteau qui contient 18 464 sièges. À la représentation, 11 034 sièges étaient libres, 7339 étaient occupés par des enfants et le reste, par des adultes. Pour entrer, les enfants devaient payer 3,50 $ et les adultes, 7 $. Les profits de ce spectacle, qui s'élèvent à 8454 $, ont été distribués à plusieurs organismes de charité.
a) Quelle somme totale les adultes et les enfants ont-ils déboursée pour assister au spectacle ?

b) Parmi les données suivantes, lesquelles ne servent pas à calculer la somme totale d'argent déboursée par les adultes et les enfants pour assister au spectacle ?

1) La durée du spectacle et le nombre de sièges qu'il y a sous le chapiteau.
2) Le nombre de sièges libres et les profits réalisés.
3) La durée du spectacle et les profits réalisés.
4) Le nombre de sièges qu'il y a sous le chapiteau et le nombre de sièges libres.

4. Vous venez de vanter les mérites de l'évaluation en situation authentique auprès d'un de vos collègues qui n'a pas suivi de cours sur ce sujet. Il semble cependant convaincu que vous ne possédez que des connaissances théoriques sur ce type d'évaluation. Alors, comme il enseigne la même matière que vous, il vous demande de lui élaborer, à titre d'exemple, une tâche d'évaluation en situation authentique. Vous devez lui présenter la tâche tout en lui expliquant les étapes que vous avez suivies pour l'élaborer et en lui démontrant la pertinence des choix que vous avez faits.

5. a) Quels sont les facteurs qui empêchent l'utilisation du portfolio dans une classe ? Comment pourrait-on rendre possible cette utilisation ?

b) Choisissez une matière donnée et une compétence spécifique à développer chez les élèves. Montrez comment vous vous y prendriez pour utiliser le portfolio durant une étape de l'année scolaire.

Chapitre 8

La régulation, la rétroaction et l'autoévaluation

1. La régulation
   1.1 Le processus de régulation
2. La rétroaction
   2.1 La dimension cognitive de la rétroaction
      2.1.1 La rétroaction cognitive portant sur la validité de la tâche
      2.1.2 La rétroaction cognitive portant sur la validité cognitive
   2.2 La dimension affective de la rétroaction
   2.3 Quelques caractéristiques d'une rétroaction efficace
   2.4 Quelques moments particuliers de la rétroaction
      2.4.1 L'importance de l'indépendance de l'élève
      2.4.2 La redéfinition du concept d'autoévaluation
3. L'autoévaluation en tant qu'activité d'enseignement
   3.1 Description des techniques permettant l'apprentissage de l'autoévaluation
      3.1.1 La minute de réflexion
      3.1.2 Les points épineux
      3.1.3 L'appréciation par l'élève de sa participation
   3.2 La planification de l'utilisation d'une des techniques
   3.3 L'analyse des données et la rétroaction

   Mise en pratique

Dans ce chapitre, nous nous intéressons aux processus cognitifs et métacognitifs dans lesquels s'engage l'élève lorsqu'il doit réaliser une tâche d'apprentissage. Nous faisons ressortir aussi le rôle de l'enseignant par rapport à ces processus. Nous n'avons pas voulu parler d'évaluation formative, et ce, pour plusieurs raisons. D'abord, il existe de nombreux livres qui traitent ce sujet en profondeur. Ensuite, notre expérience du milieu scolaire nous a permis de constater que l'utilisation correcte de l'évaluation formative en classe demeure problématique, même après plus de dix ans de tentative de l'implanter. Nous croyons, selon notre expérience, que cette situation est due en partie au fait que l'approche pédagogique qui permet une meilleure articulation entre l'évaluation sommative et l'évaluation formative n'est pas celle qui domine actuellement dans les écoles. Nous croyons aussi que l'évaluation formative a souvent été proposée aux enseignants sans que ceux-ci soient préparés à intervenir sur les difficultés d'apprentissage des élèves. Pour ces raisons, nous avons adopté la perspective d'outiller quelque peu les enseignants en vue de favoriser leur compréhension des processus d'apprentissage plutôt que de revenir sur le concept d'évaluation formative. Ainsi, nous avons choisi de traiter de la régulation que fait l'élève lorsqu'il réalise une tâche et de la rétroaction que devra lui fournir l'enseignant afin de l'aider à bien réussir la tâche.

1 La régulation

Les recherches semblent unanimes à démontrer l'importance de la régulation dans le processus d'apprentissage. Pour Butler et Winne (1995), l'élève qui réussit bien une tâche est celui qui possède la capacité de mettre en œuvre des processus efficaces d'autorégulation. Pour ces auteurs, *l'autorégulation est une forme d'engagement de l'élève dans la tâche à accomplir,* engagement au cours duquel il exerce une suite d'activités importantes :

- la détermination d'un but d'apprentissage ;
- la planification d'activités à entreprendre ;
- le contrôle d'activités (*monitoring*) en cours de réalisation ;
- la vérification et l'ajustement des résultats en fonction de critères d'efficience ou d'efficacité.

Cette définition de l'autorégulation en contexte de formation se situe dans le cadre conceptuel de la métacognition préconisé par les travaux contemporains en psychologie cognitive (Brown et Palinscar, 1982, par exemple) et par les écrits d'inspiration constructiviste (Piaget, 1975, et Vygotzky, 1977, par exemple). Certains auteurs utilisent le terme « autorégulation » comme synonyme de régulation, plus spécifiquement de régulation métacognitive de la personne en formation (Allal et Saada-Robert, 1992). Dans la mesure où nous nous intéressons ici aux apprentissages que fait la personne en formation, nous utiliserons le terme « régulation » en tant qu'activité métacognitive mise en branle par l'individu dans la construction du savoir.

En situant la régulation comme une activité métacognitive, il convient que l'on définisse la métacognition pour ensuite présenter une analyse du fonctionnement de la régulation chez l'élève et montrer le rôle de la rétroaction dans le processus de régulation.

Pour Allal et Saada-Robert (1992), le terme *métacognition* désigne la connaissance que le sujet possède de ses propres processus de pensée et de ceux d'autrui (*cognition about cognition*), ainsi que le contrôle qu'il exerce sur ses propres processus cognitifs.

1.1 Le processus de régulation

Nous avons souligné que le processus de régulation implique quatre grandes activités principales, que nous avons énumérées à la page précédente. Voyons maintenant comment ces opérations s'effectuent et quel est le rôle principal de la rétroaction dans la régulation.

Dans le contexte scolaire, l'apprentissage est généralement amorcé par une tâche d'apprentissage liée à un contenu de la discipline (rédiger un texte expressif, par exemple) ou qui fait appel à des connaissances pluridisciplinaires. Cette tâche, dans la perspective de l'élève, peut être *explicite* lorsqu'elle est présentée sous la forme d'un exercice à faire, d'un texte à étudier ou d'un problème à résoudre.

La tâche peut être *implicite* quand la personne en formation considère l'exposé de l'enseignant, les explications données par ce dernier et toute information reçue comme des éléments lui permettant de réaliser ultérieurement certaines tâches qui lui seront demandées.

Pour mieux définir le processus de régulation, nous utiliserons comme référence une tâche *explicite*. L'élève engagé dans une tâche donnée effectue les opérations suivantes.

- Il fait d'abord appel à ses *connaissances antérieures* pour construire une première interprétation des caractéristiques de la tâche et des exigences qui y sont associées.
- À partir de cette interprétation, il se fixe des *buts* lui permettant de déterminer *les stratégies et les tactiques* nécessaires pour obtenir les résultats attendus. Cette phase du processus de régulation correspond à l'*anticipation* selon Allal et Saada-Robert (1992), ou à la *planification* selon Brown et Palinscar (1982).
- La phase suivante de la régulation consiste à comparer de façon continue ce qui se fait actuellement avec le but à atteindre. C'est le *monitoring* ou le *contrôle.*
- En conséquence, la *phase d'ajustements* permet à l'élève de réinterpréter les caractéristiques et les exigences de la tâche, de modifier, au besoin, les stratégies qu'il a utilisées jusqu'alors pour en appliquer d'autres plus efficaces. Au cours de cette phase, l'élève peut être amené à changer les buts

qu'il s'est fixés (abandon de la tâche) ou ses exigences personnelles (se contenter d'un résultat médiocre, par exemple).

En fait, les phases de *contrôle* et d'*ajustements* génèrent de la rétroaction interne qui permet à l'élève de gérer le processus de régulation.

On peut dire alors que *développer les stratégies métacognitives* chez l'élève consiste à lui faire prendre conscience de son processus de régulation pour qu'il soit capable d'intervenir lui-même dans ce processus de façon efficace. En cela, l'autoévaluation que nous étudierons plus loin constituera un moyen pédagogique intéressant.

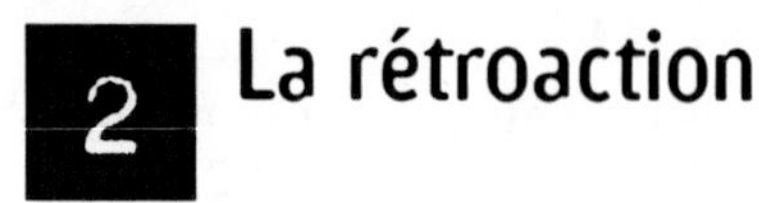

2 La rétroaction

Butler et Winne (1995) définissent la rétroaction comme étant *une information à partir de laquelle l'élève peut confirmer, ajouter, ajuster ou restructurer d'autres informations* contenues dans sa mémoire. Cette information peut se rapporter aussi bien à un champ de connaissances disciplinaires, à des stratégies cognitives ou métacognitives permettant d'aborder un problème qu'à des croyances par rapport à soi compte tenu de la tâche.

Par exemple, l'élève est en train de faire un exercice en classe. En apercevant l'enseignante qui arrive près de lui, il demande : « Suis-je sur la bonne voie ? » Voilà une manifestation de la recherche par l'élève d'une rétroaction portant principalement sur ses *stratégies cognitives.* Un autre élève déclare à l'enseignant : « Je ne suis pas sûr si je vais pouvoir réussir cet exercice. » En fait, la rétroaction recherchée par cet élève devrait porter principalement sur une modification de ses *croyances en sa capacité à réaliser la tâche.* Julie, de son côté, demande à l'enseignante si, pour cet exercice, elle doit utiliser les notions qui ont été vues le matin même. Une telle demande renvoie à la recherche de la rétroaction portant sur les *connaissances disciplinaires.* Marc, quant à lui, va au bureau de l'enseignant et lui montre sa feuille en disant : « J'ai pensé que je ferais premièrement une addition, puis une soustraction et qu'ainsi je pourrais probablement trouver la somme demandée. » Cet élève fait appel à de la rétroaction portant, entre autres, sur sa *stratégie métacognitive* (planification des opérations).

2.1 La dimension cognitive de la rétroaction

Nous venons de voir la place qu'occupe la rétroaction interne dans le processus de régulation. Il faut souligner que, dans un tel processus, l'élève compte beaucoup sur la rétroaction externe pour s'ajuster par rapport à la tâche. La rétroaction externe peut provenir des interactions avec les pairs ou avec l'enseignant. Cependant, celle que fournit l'enseignant constitue la rétroaction externe la plus importante pour l'élève.

Certains auteurs distinguent deux sortes de rétroactions externes : la rétroaction *portant sur le produit* et la rétroaction *cognitive*. La première informe l'élève si les résultats obtenus sont acceptables en fonction des critères définis par l'enseignant (critères externes) ou adoptés par ce dernier et les élèves (critères partagés). Selon Butler et Winne (1995), cette sorte de rétroaction est la plus simple et la plus couramment utilisée dans les classes. Elle constitue toutefois une aide très limitée en vue d'une régulation plus efficace de la part de l'élève. En effet, les études faites sur ces sortes de rétroactions semblent démontrer que la rétroaction portant sur le produit est moins efficace que la rétroaction cognitive.

La rétroaction *cognitive* peut être classée selon deux catégories : l'une portant sur la validité de la tâche et l'autre, sur la validité cognitive. Les études, sans être unanimes, semblent indiquer que, de ces deux types, celle qui porte sur la validité de la tâche est la plus efficace, surtout parce qu'elle concerne les stratégies cognitives de l'élève.

2.1.1 La rétroaction cognitive portant sur la validité de la tâche

Cette forme de rétroaction décrit la perception qu'a un observateur externe (l'enseignant, par exemple) de la relation existant entre les indices donnés dans une tâche et le résultat observé. Une telle rétroaction permet à l'élève de prendre en considération, dans une tâche, les éléments importants (implicites ou explicites) susceptibles de l'aider à mieux réaliser la tâche.

Prenons le cas d'un enseignant qui intervient auprès d'un élève engagé dans la résolution d'un problème arithmétique. Pour aider l'élève, l'enseignant peut poser les questions suivantes, par exemple :

- Quelle est la question posée dans le problème? Qu'est-ce que tu dois chercher?
- Peux-tu m'indiquer les informations dans le texte du problème qui pourraient t'aider à trouver la réponse à la question?

Ces exemples de questions illustrent le sens de la rétroaction sur la validité de la tâche.

2.1.2 La rétroaction portant sur la validité cognitive

Ce type de rétroaction vise à amener l'élève à percevoir les indices présents dans la tâche et à évaluer leur pertinence dans la réussite de la tâche. Contrairement à la première forme de rétroaction, qui traite des indices présents (implicitement ou explicitement) dans la tâche, celle-ci fait appel aux stratégies cognitives de l'élève. Quelles connaissances antérieures lui permettent de réaliser efficacement la tâche? Parmi les indices trouvés, lesquels sont utiles, lesquels sont superflus?

2.2 La dimension affective de la rétroaction

Nous reconnaissons qu'il existe des rétroactions portant plutôt sur les dimensions affectives, particulièrement sur les dimensions motivationnelles caractérisant la façon dont l'élève aborde une tâche et détermine les stratégies nécessaires pour la compléter. Ces rétroactions visent généralement à motiver l'élève à s'engager efficacement dans une tâche et à la réussir.

Les travaux de Schunk et Cox (1986) sur l'influence de la rétroaction par rapport à l'effort que fournit l'élève dans la réalisation d'une tâche, sur la perception qu'il a de sa compétence par rapport à la tâche et de son efficacité à la réussir, nous apparaissent intéressants. Voici un résumé des résultats de ces recherches proposé par Viau (1994, p. 60 et 61).

— Un feed-back sur l'effort que des élèves ont fourni pour accomplir une tâche améliore l'opinion qu'ils ont de leur compétence à accomplir cette tâche (Schunk, 1982).

— Les élèves qui avaient reçu un feed-back sur leurs aptitudes (par exemple, *Tu réussis, car tu es bon en arithmétique*) ont vu l'opinion qu'ils avaient de leur compétence s'améliorer plus rapidement que celle des élèves qui avaient reçu soit un feed-back sur leurs efforts (par exemple, *Tu réussis, car tu travailles fort*), soit un feed-back à la fois sur leurs efforts et sur leurs aptitudes (par exemple, *Tu réussis, car tu travailles fort et tu es bon en arithmétique*) (Schunk, 1983).

— Parmi les élèves qui avaient reçu soit des feed-back sur leurs aptitudes à deux reprises, soit des feed-back sur leurs aptitudes et, par la suite, des feed-back sur leurs efforts, soit des feed-back sur leurs efforts à deux reprises, ceux qui avaient bénéficié des séquences aptitudes–aptitudes ou aptitudes–efforts ont vu l'opinion qu'ils avaient de leur compétence s'améliorer davantage que celle des élèves qui avaient reçu la séquence efforts–efforts (Schunk, 1984).

2.3 Quelques caractéristiques d'une rétroaction efficace

Wiggins (1993) suggère un ensemble de caractéristiques essentielles pour qu'une rétroaction soit efficace. Nous en avons retenu quelques-unes qui, selon nous, peuvent s'appliquer de façon générale dans le contexte d'une classe.

Pour être efficace, une rétroaction devrait, entre autres :

- *Fournir à l'élève des informations qui le confirment ou non dans la réalisation de la tâche tout en lui apportant le soutien nécessaire.*
  L'élève a besoin de la rétroaction externe pour mieux exercer les phases de contrôle et d'ajustements nécessaires à la réussite de la tâche. Une rétroaction qui constate une situation sans fournir à l'élève un guide pour mieux faire serait inefficace. Pire encore serait une rétroaction qui porte sur des généralités sans rapport avec l'évolution de la démarche de l'élève : « Si tu faisais un peu plus d'efforts, tu réussirais la tâche. »

- *Exprimer une comparaison entre la réalisation actuelle, l'orientation de la tâche et les résultats attendus.*
  L'élève a besoin d'être guidé et confirmé dans ce qu'il fait et ce qu'il se propose de faire en regard du résultat attendu.
- *Être la plus immédiate possible, compréhensible et directement utilisable par l'élève.*
  Une rétroaction qui arrive trop tard n'est évidemment pas efficace. Si la rétroaction n'est pas compréhensible par l'élève, elle est inutile. On peut donner l'exemple de l'enseignant qui, en remettant la copie corrigée de Pierre deux semaines après l'avoir reçue, souligne dans la marge : « Ce paragraphe n'est pas clair. »
- *Évaluer le progrès de l'élève par rapport à la réalisation de la tâche.*
  Le progrès de l'élève ne devrait pas être évalué en fonction des autres élèves. Il importe plutôt de donner à l'élève des précisions, des exemples sur la différence entre ce qu'il fait et ce qui devrait être fait compte tenu des résultats attendus.
- *Être exprimée dans un langage descriptif.*
  Par exemple : « Tu as fait une addition au lieu de faire une soustraction, c'est peut-être pour cela que tu arrives à un résultat plus élevé. » Une rétroaction qui porterait sur l'évaluation de l'élève en comparaison avec d'autres serait inefficace : « Tu es le seul à avoir eu ce résultat. »
- *Offrir un diagnostic et des recommandations spécifiques à l'erreur observée.*
  Par exemple : « Tu as fait une addition au lieu de faire une soustraction, c'est peut-être pour cela que tu arrives à un résultat plus élevé. »
- *Permettre à l'élève de percevoir les effets tangibles de ses efforts.*
  Dans le contexte scolaire, un des effets tangibles demeure, bien sûr, la différence de notes obtenues entre un premier travail et un autre faisant suite à l'effort investi. La rétroaction devrait amener l'élève à constater que les efforts qu'il a consentis après le premier travail ont valu la peine.

2.4 Quelques moments particuliers de la rétroaction

Nous avons souligné que la rétroaction est importante surtout lorsque l'élève est engagé dans la tâche qu'il doit effectuer. Durant une leçon, il est fréquent que l'enseignant, après avoir présenté la matière, invite les élèves à se mettre au travail pour réaliser une tâche donnée. En règle générale, la tâche demandée a pour but de vérifier l'apprentissage attendu à la suite de la leçon présentée. Lorsque l'enseignant demande aux élèves d'effectuer une tâche, il s'attend à ce que ceux-ci soient engagés à la tâche et travaillent à la réussir. Dans une telle situation, l'enseignant va généralement effectuer plusieurs rondes d'observation (Baloche, 1998) au cours desquelles de la rétroaction continuelle peut être donnée. Voyons comment mieux exploiter ces moments, particulièrement durant les trois premières rondes, en fournissant la rétroaction nécessaire.

La *première ronde* que fait l'enseignant consiste généralement à s'assurer que les consignes d'organisation données sont bien comprises par les élèves et que ceux-ci sont prêts à effectuer la tâche demandée. Cette ronde vise avant tout à donner de la rétroaction qui aidera l'élève à *déterminer le but d'apprentissage* en question (*voir la première phase de la régulation*). Bien sûr, l'intervention de l'enseignant, à cette étape, vise aussi à prévenir des problèmes dus à la frustration ou qui peuvent entraîner une perte de temps (incompréhension des consignes) de la part des élèves. Durant cette ronde, la rétroaction peut se limiter à vérifier si les consignes sont bien comprises. Est-ce que l'élève a ouvert son livre à la page appropriée ? A-t-il commencé à lire les consignes de l'exercice ? À ce moment, l'élève n'est pas encore engagé dans la tâche.

La *deuxième ronde* débute au moment où les élèves ont commencé à effectuer la tâche demandée. Cette ronde portera spécifiquement sur la vérification du degré d'engagement de chaque élève dans la tâche. En principe, la plupart des élèves en seront à la phase où ils *font appel aux connaissances antérieures pour construire une première interprétation des caractéristiques de la tâche et des exigences qui y sont associées,* et aussi à la phase de *détermination des stratégies et des tactiques nécessaires pour obtenir les résultats attendus.* La rétroaction de l'enseignant pourrait chercher à répondre aux questions suivantes : Quelle stratégie l'élève utilise-t-il ? Est-ce la bonne ? Dois-je intervenir tout de suite, ou attendre qu'il éprouve une première difficulté ? Déjà, au cours de cette ronde, l'enseignant peut faire provision d'informations lui permettant de :

- reprendre pour toute la classe des stratégies efficaces observées chez certains élèves ;
- revenir sur certaines notions non comprises ou certaines connaissances antérieures erronées.

La *troisième ronde* peut être considérée comme le moment où l'enseignant pourra intervenir sur les problèmes de comportement et accompagner plus spécifiquement un élève qui éprouve des difficultés par rapport à la tâche.

Les rondes suivantes seront consacrées à aider les élèves dans les phases de *contrôle* et d'*ajustements* telles qu'elles ont été précisées dans les pages précédentes.

Bien sûr, les types d'interventions que nous venons de décrire ne constituent que quelques éléments, que l'enseignant pourra compléter à partir de sa propre expérience. Ce qui nous paraît important ici, c'est de bien cibler le type d'intervention en fonction des premiers moments d'engagement des élèves vis-à-vis d'une tâche donnée.

Nous voulons ajouter aux caractéristiques et aux moments particuliers de la rétroaction que nous venons d'étudier deux considérations qui nous paraissent importantes. La première concerne l'*indépendance de l'élève par rapport à la rétroaction de l'enseignant*, la seconde, la *redéfinition du concept d'autoévaluation dans le contexte de la régulation et de la rétroaction.*

2.4.1 L'importance de l'indépendance de l'élève

Nous avons souligné plus haut que la rétroaction externe la plus importante est celle que fournit l'enseignant. Nous avons aussi dit que, pour être efficace, la rétroaction doit être rapide et continuelle. Bien sûr, l'élève a besoin de la rétroaction de l'enseignant pour mieux gérer son processus de régulation. Cependant, il faut viser à rendre l'élève le plus autonome possible par rapport à la rétroaction provenant de l'enseignant. D'ailleurs, le contexte de classe n'est guère propice au maintien d'une dépendance de l'élève par rapport à la rétroaction de l'enseignant, celui-ci devant s'occuper de plusieurs élèves à la fois. Comme le souligne Haney (1991), pour mieux apprendre, l'élève a besoin de mettre en pratique ce qu'il apprend d'une rétroaction rapide et détaillée sur ce qu'il fait. Cependant, cette rétroaction ne doit pas obligatoirement provenir d'une personne en autorité telle que l'enseignant.

2.4.2 La redéfinition du concept d'autoévaluation

Plusieurs auteurs (Kusnick et Finley, 1993; Wiggins, 1993) considèrent l'autoévaluation comme un moyen permettant à l'élève de mieux gérer lui-même le processus de régulation nécessaire à la réalisation efficace d'une tâche complexe ou à un meilleur engagement de sa part vis-à-vis de son apprentissage.

Kusnick et Finley (1993) définissent l'autoévaluation comme *la réflexion et l'évaluation que fait l'élève sur son apprentissage et sur les processus qu'il met en action durant cet apprentissage.* L'autoévaluation est donc un processus qui met en action la réflexion de l'élève par rapport aux stratégies cognitives et métacognitives qu'il utilise pour mieux apprendre.

En ce sens, l'autoévaluation devient un élément important de l'enseignement dans la mesure où l'enseignant se donne pour tâche d'aider l'élève à gérer ses propres mécanismes d'apprentissage. Si nous considérons l'autoévaluation comme une activité importante dans le processus d'apprentissage, et l'efficacité de la régulation comme essentielle à un meilleur apprentissage, nous devons mettre en place des moyens pour développer chez les élèves la capacité d'autoévaluation.

Nous croyons aussi que plus la capacité d'autoévaluation est développée chez l'élève, moins celui-ci sera dépendant de la rétroaction externe de l'enseignant. Cette vision diffère énormément de celle qui conçoit l'autoévaluation comme un moment où l'élève est invité à apprécier (par une note ou par une lettre) le résultat qu'il mérite après avoir complété une tâche d'évaluation (autonotation).

3 L'autoévaluation en tant qu'activité d'enseignement

L'autoévaluation, telle que nous la définissons ici, est une stratégie qui permet à l'élève de mieux maîtriser son processus de régulation et de développer une certaine indépendance par rapport à la rétroaction externe venant d'une personne en autorité (l'enseignant, par exemple), une stratégie qui peut être enseignée aux élèves.

Quels avantages un enseignant peut-il retirer du temps consacré à un tel enseignement plutôt qu'à l'enseignement d'un contenu de la discipline (en français ou en mathématique, par exemple) ? Notre expérience en ce domaine nous a permis de constater que l'utilisation fréquente de l'autoévaluation amène bon nombre d'élèves à se sentir responsables de leur propre apprentissage et à participer activement à la recherche de meilleurs moyens pour apprendre. De plus, cette forme d'activité d'enseignement permet à l'enseignant d'être informé sur les stratégies appropriées et non appropriées que les élèves utilisent pour réaliser une tâche donnée.

Dans les pages qui suivent, nous présenterons trois techniques que nous avons expérimentées. Elles visent le développement de la capacité d'autoévaluation des élèves. Nous décrirons chacune de ces techniques et fournirons des conseils méthodologiques pour leur application en classe.

3.1 Description des techniques permettant l'apprentissage de l'autoévaluation

3.1.1 La minute de réflexion

La minute de réflexion est la technique à utiliser en tout premier lieu. À la fin d'une leçon, les élèves sont invités à inscrire sur une feuille de papier leur réflexion par rapport à deux questions.

- Qu'est-ce que vous avez appris durant cette leçon que vous considérez comme important pour vous ?
- Quels sont les points (ou les aspects) qui demeurent confus (ou qui ne sont pas clairs) dans votre tête ?

La durée d'une telle activité peut varier entre 10 et 15 minutes. Comme nous l'avons souligné, elle se fait généralement par écrit. Lorsque les élèves ne maîtrisent pas encore l'écrit, l'activité peut se dérouler oralement sous forme d'une animation de groupe conduite par l'enseignant.

Les deux questions ci-dessus invitent l'élève à réfléchir et à faire le point sur son apprentissage. L'élève devient alors activement engagé par rapport à son apprentissage. En écrivant (produit qui relève du processus de réflexion), l'élève doit faire une forme de synthèse des notions et des faits traités durant la leçon, et les tester par rapport à ce qu'il croit être des choses apprises. Pour l'enseignant, les points confus constituent des indices permettant de clarifier les notions mal comprises ou non maîtrisées par les élèves. En s'appuyant sur ces indices, la rétroaction est plus spécifique et plus pertinente. Souvent, la rétroaction qui découle de cette activité dépasse l'intervention sur de simples erreurs de calcul, par exemple, pour toucher des stratégies plus complexes que les élèves ne maîtrisent pas. Bien sûr, il ne faut pas s'attendre à ce que les élèves répondent de façon adéquate à ces questions dès la première fois qu'une telle activité est utilisée. La rétroaction de l'enseignant fournie le plus rapidement possible à la suite de l'activité, la fréquence d'utilisation d'une telle activité et, surtout, la perception par l'élève de l'utilité de cette forme d'activité pourront favoriser une meilleure régulation de la part de l'élève.

3.1.2 Les points épineux

Cette technique est une variante de la première. Elle s'utilise principalement à la suite d'une lecture ou d'un travail de production demandé aux élèves. Les élèves sont invités à répondre aux questions suivantes.

- Quels sont les aspects que vous avez trouvés difficiles à comprendre ou à réaliser ?
- Pourquoi, selon vous, ces aspects vous apparaissent-ils difficiles ?

Ces questions visent à développer chez l'élève la capacité à cerner les difficultés qu'il éprouve dans la réalisation d'une tâche. On remarque que certains élèves sont incapables de déterminer les difficultés spécifiques qu'ils éprouvent. Ils sont portés à résumer leurs difficultés par la phrase suivante : « Je ne comprends rien. » Pour ces élèves, l'activité sur les « points épineux » sera fort utile.

3.1.3 L'appréciation par l'élève de sa participation

Cette technique vise à mesurer le degré de responsabilité qu'assume l'élève par rapport à ses apprentissages. Certains élèves ont souvent tendance à croire que leur participation dans un cours repose uniquement sur les caractéristiques de l'enseignement ou sur la personnalité de l'enseignant. Ils arrivent à la conclusion que s'ils n'apprennent pas, c'est la faute de l'enseignant. Dans de tels cas, il est important d'amener l'élève à faire une autoévaluation de sa contribution aux leçons données. À cet effet, la grille de la figure 8.1 (*voir la page 118*) que nous avons déjà utilisée pourra être modifiée selon les circonstances et les classes concernées.

Voici un exercice qui permet de vous situer par rapport à vos apprentissages. Veuillez répondre en encerclant votre choix de réponse ou en notant une courte phrase. Il n'y a ni bonne ni mauvaise réponse. D'ailleurs, le questionnaire est anonyme (n'indiquez pas votre nom). L'information recueillie me servira à ajuster mon enseignement et à vous aider à tirer le maximum du cours.

1. Comment évalueriez-vous votre participation au cours, aujourd'hui ?

1	2	3	4	5
Très faible.	Faible.	Moyenne.	Élevée.	Très élevée.

2. Expliquez brièvement les facteurs qui, selon vous, ont le plus contribué à l'évaluation que vous venez d'indiquer. ____________________

3. Compte tenu des cours que vous avez suivis jusqu'ici, comment évalueriez-vous votre participation générale à l'ensemble des cours ?

1	2	3	4	5
Très faible.	Faible.	Moyenne.	Élevée.	Très élevée.

4. Quels signes vous indiquent que votre participation est faible ? Que faites-vous généralement pour accroître votre participation ? ____________________

5. Quels signes vous indiquent que votre participation est bonne ?

____

6. Complétez la phrase suivante.
Ma participation au cours dépend surtout ____________________

____

Figure 8.1 **Grille d'appréciation par l'élève de sa participation**

3.2 La planification de l'utilisation d'une des techniques

L'application des techniques que nous venons de décrire exige une bonne planification de la part de l'enseignant. Voici quelques étapes à suivre au moment de la planification.

- Choisir la technique appropriée et le mode de réponse (anonyme ou pas).
- Estimer le temps à accorder aux élèves pour compléter l'activité (celle-ci pourra se dérouler dans les 15 dernières minutes de la leçon).
- Préparer les élèves à l'activité soit durant la leçon précédente, soit au début de la leçon en cours.
- Préparer les consignes et le mode de communication des consignes (consignes orales, notées au tableau, etc.).
- Prévoir l'incidence, en temps, de l'activité sur la planification des leçons subséquentes. On pourra prévoir entre 15 et 30 minutes pour la rétroaction découlant de l'activité.

Les étapes suivantes sont aussi à conseiller pour l'application des techniques.

- Rappeler aux élèves les buts visés par l'activité.
- Présenter l'activité et les consignes nécessaires.
- Annoncer le moment prévu pour la rétroaction, qui devrait être transmise le plus rapidement possible (au début de la leçon suivante, si possible).

3.3 L'analyse des données et la rétroaction

Rappelons que la rétroaction externe constitue une activité importante qui permet aux élèves de mieux développer leur capacité de régulation. Bien sûr, l'enseignant doit, pour de telles activités, investir du temps pour analyser les réponses des élèves et les organiser en vue d'une meilleure rétroaction. Voici quelques étapes que cela implique.

- Compiler les réponses (prévoir environ une heure pour une trentaine d'élèves).
- Transcrire les données qui vont être utilisées comme support à la rétroaction (prévoir environ une heure pour une trentaine d'élèves).
- Préparer les points d'intervention en classe et les points d'intervention individuelle. Respecter, autant que possible, le temps planifié pour la rétroaction (entre 15 et 30 minutes).

Une certaine prudence s'impose dans l'application de ces techniques. Une utilisation trop fréquente risque de diminuer la motivation des élèves pour de telles activités. D'autre part, l'impossibilité de donner de la rétroaction à la suite de ces activités, par manque de temps, peut contribuer à détourner les activités de leurs buts initiaux.

Mise en pratique

1. Vous venez de présenter une leçon qui porte sur une notion importante et utile à l'apprentissage attendu chez les élèves. Vous demandez aux élèves de former des équipes de deux pour faire un exercice qui vous permettra de constater s'ils ont bien compris. Pendant votre deuxième ronde, un élève lève la main et vous dit : « Je ne comprends rien ! » Selon vous, à quelle phase de la régulation se trouve-t-il et quel genre de rétroaction fournirez-vous à cet élève ? Expliquez et justifiez votre intervention.

2. Vous avez vu en classe trois techniques permettant l'apprentissage de l'autoévaluation.

   On vous demande de procéder à la vérification de l'application de l'une d'elles auprès de vos collègues, puis d'informer tout le groupe sur les difficultés susceptibles d'être éprouvées dans une classe lorsqu'on utilise cette technique et sur les moyens de les surmonter.

   Pour cet exercice, formez une équipe de cinq étudiants dont l'un jouera le rôle de responsable de l'application de la technique.

   Vous avez 20 minutes pour exécuter la technique et 3 minutes pour la présenter devant la classe.

3. La directrice de votre école vous demande de faire, devant les membres du conseil d'établissement, un exposé traitant de la régulation, de l'autoévaluation et de la rétroaction. On vous accorde 15 minutes pour la présentation et 15 minutes pour répondre aux questions des personnes présentes. Compte tenu de la diversité de l'auditoire, la directrice vous conseille de soutenir votre exposé par une bonne représentation visuelle des concepts.

   Avant le jour J, vous faites une répétition générale devant vos collègues pour recueillir de l'information qui vous permettra d'apporter les modifications nécessaires.

Chapitre 9

Les qualités fondamentales d'une démarche évaluative

Nous avons précisé dans les chapitres précédents que l'évaluation est un processus qui permet à l'enseignant de prendre des décisions au sujet de ses activités d'enseignement par rapport aux apprentissages réalisés par les élèves de sa classe, en vue d'aider ces derniers à mieux apprendre et pour informer d'autres instances sur les apprentissages acquis par chacun d'entre eux.

En éducation, certaines décisions qui découlent de l'évaluation affectent directement les élèves et peuvent avoir des conséquences heureuses ou malheureuses sur leurs parents. Par exemple, lorsque l'enseignant, à la suite des résultats de l'évaluation, décide qu'un élève doit reprendre une année scolaire, cette décision peut affecter directement l'élève sur le plan psychologique (atteinte possible à l'estime de soi) et sur le plan social (appartenance à un groupe d'âge donné). Une telle décision peut aussi avoir des conséquences pour les parents de l'élève (tensions familiales, réajustement des activités familiales, des loisirs, etc.). Prenons un autre cas : un enseignant décide, sur la foi des résultats de l'évaluation, de passer à l'enseignement de nouvelles notions alors qu'en réalité les notions préalables n'ont pas été maîtrisées par les élèves de sa classe. Une telle décision risque d'affecter la qualité de l'apprentissage des élèves et, ainsi, occasionner une mauvaise utilisation des ressources disponibles.

Pour s'assurer de prendre les meilleures décisions possible, la démarche d'évaluation devrait présenter les qualités suivantes : validité, fidélité et absence de biais.

1 La validité d'une démarche d'évaluation

Pour bien comprendre le concept de validité, étudions l'exemple de situation d'enseignement suivant.

Exemple

Luc enseigne durant deux périodes consécutives la notion de calcul des pourcentages. L'objectif d'apprentissage est que les élèves soient *capables de résoudre des problèmes impliquant le calcul des pourcentages.* Après avoir expliqué les différentes méthodes de calcul des pourcentages et fait faire aux élèves un ensemble d'exercices, l'enseignant administre un petit test composé de quatre questions. Après la correction de l'examen, Luc constate que 90 % des élèves ont réussi les quatre questions. De plus, il se souvient comment il avait trouvé les élèves attentifs à ses explications. Sur la base de ces informations, Luc décide de passer, au cours suivant, à l'enseignement de la notion de calcul du taux d'intérêt. Après avoir rappelé aux élèves la notion de calcul des pourcentages et expliqué la méthode de calcul du taux d'intérêt, il donne un exercice à faire aux élèves. Les résultats furent perçus par l'enseignant comme une « catastrophe ». Il se demande comment il se fait que les élèves ont déjà oublié les calculs se rapportant au pourcentage.

Deux questions peuvent aider à trouver une explication à cette situation.

- Les quatre questions choisies par l'enseignant sont-elles représentatives des situations possibles de l'utilisation du calcul des pourcentages que peuvent connaître les élèves ?

- Le résultat obtenu par l'élève constitue-t-il un bon indicateur de sa performance par rapport au calcul des pourcentages ?

Pour répondre à la première question, il faut se demander si les quatre questions touchent bien à l'ensemble des situations que peut connaître un élève et qui sont susceptibles d'exiger qu'il utilise la notion de calcul des pourcentages. La figure 9.1 permet de comprendre le raisonnement à suivre.

Lorsqu'un enseignant choisit d'enseigner un contenu d'apprentissage, la notion de pourcentage, par exemple, il vise à ce que les élèves maîtrisent cette notion et soient capables de l'appliquer dans des situations qu'ils connaîtront au cours de leur carrière scolaire, à tout le moins. Il importe alors que l'enseignant s'efforce d'imaginer l'ensemble des situations possibles nécessitant l'utilisation du calcul des pourcentages, puis de définir le domaine de tâches à partir duquel il choisira les tâches (ou questions) qu'il soumettra aux élèves. Dans la mesure où les tâches ou les questions choisies touchent bien à l'ensemble des situations qui représentent le contenu d'apprentissage, la validité de l'interprétation que l'enseignant fera des résultats de l'élève sera mieux assurée. Toutefois, ce n'est pas suffisant. La façon dont l'enseignant va combiner les résultats à chaque question pour arriver au score total de l'élève est aussi importante. Ce qui nous amène à considérer la seconde question posée ci-dessus, soit : Le résultat obtenu par l'élève constitue-t-il un bon indicateur de sa performance par rapport au calcul des pourcentages ?

La pondération accordée à chacune des questions et le nombre de questions choisies sont autant de facteurs qui influenceront la validité de l'inférence sur la maîtrise de l'apprentissage que fera l'enseignant à partir du score total de l'élève. Prenons la situation où l'enseignant choisit quatre questions pour mesurer la maîtrise du calcul des pourcentages. Quatre questions sont-elles suffisantes pour représenter l'ensemble des situations ? Admettons que les questions sont suffisantes.

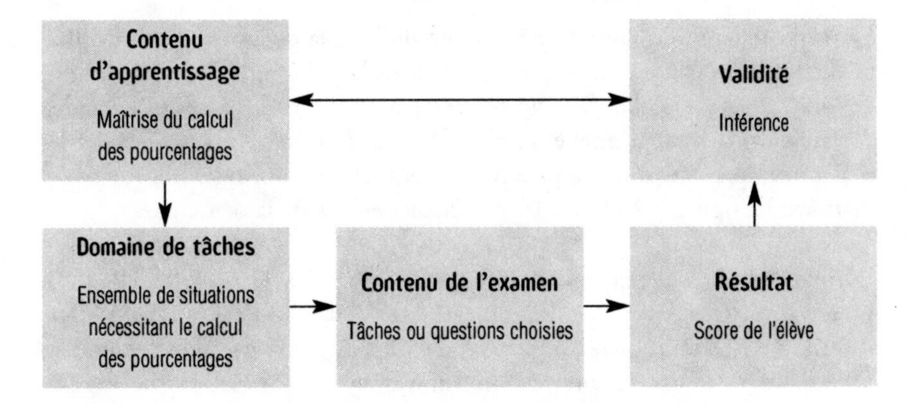

Figure 9.1 **Schéma explicatif de la validité de contenu**

Quelle est alors l'importance relative de chacune des questions par rapport au contenu d'apprentissage que la question est censée mesurer ? L'enseignant peut attribuer une pondération à chaque question en se basant uniquement sur la difficulté de la question ou sur le temps nécessaire pour trouver la réponse. Certains enseignants pourront décider d'accorder plus de points pour la question facile que pour la question difficile dans un but autre que de vérifier la maîtrise du contenu enseigné (pour augmenter sa moyenne de classe ou pour motiver les élèves faibles, par exemple). Comme on peut le percevoir, la façon de pondérer peut invalider l'interprétation que l'enseignant fera des résultats obtenus.

Quel mode de correction l'enseignant utilise-t-il pour arriver au score de chaque élève ? Par exemple, certains enseignants utilisent la correction négative dans l'attribution des scores aux élèves. Pour d'autres, la démarche peut être plus importante que le résultat attendu.

1.1 La définition du concept de validité

Ces considérations nous amènent à définir la *validité comme la justesse et la pertinence de l'interprétation que l'on peut faire des données recueillies à la suite de l'application d'une démarche d'évaluation.* Il existe bien sûr plusieurs types de validité. Cependant, celle que l'enseignant aura à utiliser dans le contexte de la classe est la validité de contenu. Comme nous venons de le voir, la recherche de la validité de contenu porte sur :

- la représentativité de l'ensemble des questions retenues par rapport à un domaine de tâches couvrant le contenu d'apprentissage visé ;
- le processus adopté pour arriver au score final permettant d'inférer la maîtrise du contenu d'apprentissage visé.

1.2 Les étapes à suivre pour assurer la validité d'une démarche évaluative

La meilleure façon d'assurer une bonne validité à la démarche d'évaluation, quelle soit formelle ou informelle, est de bien la planifier. Si l'évaluation est de type informel, la planification peut être très simple. Lorsque la démarche d'évaluation se veut formelle, la planification doit être bien pensée et très structurée, quel que soit le type d'instrument retenu pour recueillir les informations. La figure 9.2 illustre les principales étapes de la démarche.

Voyons chacune de ces étapes en détail.

La *première étape* d'une démarche d'évaluation est le *choix* et l'*identification du type d'évaluation.* Bien sûr, cette étape dépend de la décision à prendre. Par exemple, si l'enseignant veut seulement savoir si les élèves participent bien à la leçon en vue de juger de la pertinence des exercices ou de la mise

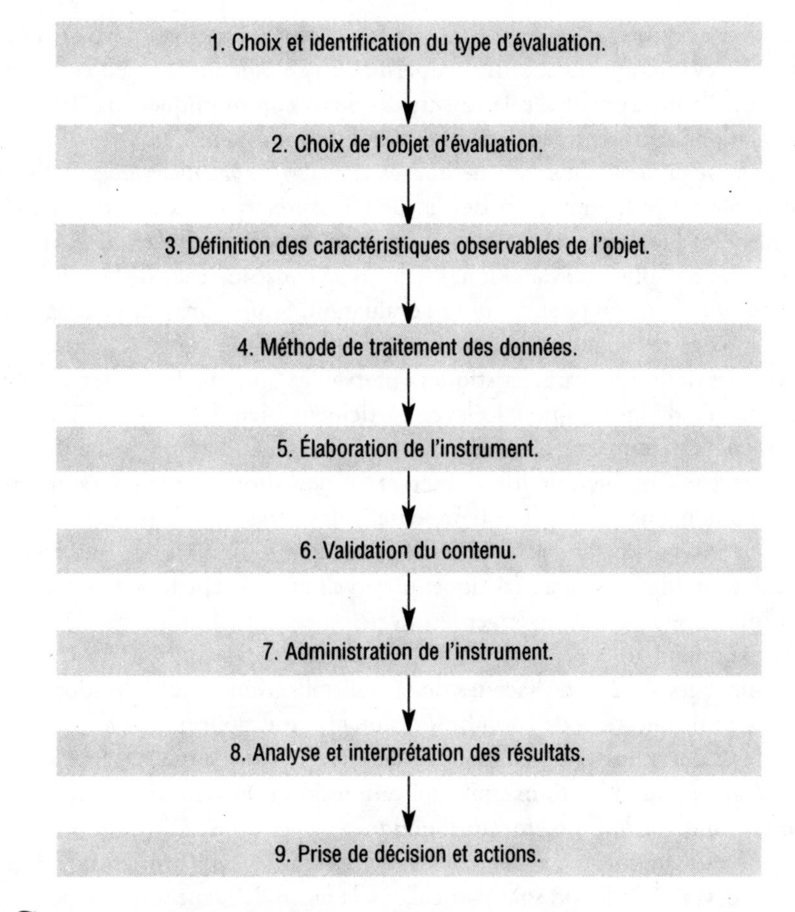

Figure 9.2 **Principales étapes d'une démarche d'évaluation**

en situation utilisée pour présenter la leçon, une évaluation de type *informel* pour des fins d'ajustement de l'enseignement sera retenue. Par contre, si l'enseignant veut recueillir des données sur les apprentissages réalisés par les élèves en vue du prochain bulletin, une évaluation de type *formel* est nécessaire. Soulignons toutefois que si l'enseignant veut obtenir de l'information sur les faiblesses des élèves par rapport à la complexité d'une notion étudiée, ou s'il veut déterminer l'intérêt des élèves pour la lecture, par exemple, il pourra aussi recourir à une évaluation de type formel.

La *deuxième étape* porte sur le *choix de l'objet d'évaluation.* S'agit-il d'évaluer les *objectifs* liés à la compréhension de lecture d'un texte narratif, de la *compétence* de l'élève à rédiger un rapport de laboratoire ou du *comportement* des élèves dans le cadre d'une leçon de mathématique ? Quel que soit le choix, il est important que l'enseignant soit au clair sur l'objet qu'il veut évaluer. Il est préférable de préciser par écrit l'objet sur lequel portera la démarche d'évaluation. D'abord, cela permet à l'enseignant de bien cerner ce qu'il veut évaluer. Ensuite, cela l'assure de mieux communiquer aux élèves les informations pertinentes sur les aspects qui seront évalués.

La *troisième étape* consiste à définir les *caractéristiques observables de l'objet* retenu pour l'évaluation. On devra aussi s'assurer que ces caractéristiques représentent bien en nombre, en nature et en importance relative, les diverses facettes de l'objet d'évaluation. Cette étape constitue celle de la *définition du domaine des tâches* retenues pour l'évaluation. Supposons que l'enseignant a choisi comme objet d'évaluation la *participation des élèves à la leçon*; il devra alors définir les caractéristiques observables qui, une fois observées, lui permettront de croire que les élèves participent bien à la leçon. Combien d'éléments devront être observés? se demandera-t-il. Comment faudra-t-il les observer? Combien de fois l'observation devrait-elle être faite pour s'assurer d'obtenir un échantillon représentatif des situations de participation?

L'enseignant qui s'intéresse plutôt à la rédaction d'un rapport de laboratoire devra définir les caractéristiques observables et acceptables d'un tel rapport tout en essayant d'envisager les divers types de rapports.

L'enseignant qui veut observer si l'élève maîtrise la multiplication devra déterminer les différentes facettes de la multiplication : multiplication avec le zéro, multiplication des nombres décimaux, multiplication avec ou sans retenue. Il devra aussi penser aux divers contextes dans lesquels l'élève aura à effectuer des multiplications : multiplication décontextualisée et multiplication en contexte de problème arithmétique.

Plus l'évaluation aura des conséquences importantes sur la carrière de l'élève, plus on devra accorder un soin particulier à la façon de mener cette étape.

La *quatrième étape* renvoie à la méthode de *traitement des caractéristiques observables.* Doit-on les observer sous l'angle de leur présence ou de leur absence, ou plutôt sous celui de leur fréquence, de leur qualité ou de leur quantité? Faut-il adopter une approche descriptive ou une approche quantitative? Ces questions deviennent importantes lorsque l'évaluation est de type formel et peut avoir des conséquences importantes directement sur l'élève et indirectement sur les parents.

La *cinquième étape* consiste à *élaborer l'instrument* qui sera utilisé pour recueillir les informations recherchées. On peut penser que dans le cas d'une évaluation de type informel, l'enseignant qui a suivi consciencieusement les étapes précédentes a déjà en tête une grille lui permettant d'assurer une certaine validité à son évaluation. Il ne lui reste qu'à ouvrir grands les yeux pour utiliser cette grille mentale. Dans le cas d'une évaluation de type formel, il est préférable que la grille ou l'instrument sur lesquels s'appuie l'évaluation soient précisés par écrit selon les règles reconnues.

La *sixième étape* consiste à soumettre l'instrument élaboré à une première *validation de contenu.* L'enseignant pourra faire appel à un collègue ou à une personne experte dans le domaine pour vérifier la congruence des éléments de l'instrument avec les buts et l'objet de l'évaluation. Cette validation cherchera à déterminer :

- si les éléments retenus dans l'instrument sont représentatifs, en nature, en nombre et en importance relative, des manifestations possibles de l'objet d'évaluation ;
- si la façon de traiter les éléments observés (*voir la quatrième étape*) est de nature à invalider l'interprétation qui sera faite des résultats ;
- si le dispositif d'évaluation qui sera mis en place est exempt de biais potentiels.

La *septième étape* consiste à *administrer l'instrument* afin de recueillir les informations recherchées sur les apprentissages que l'on veut évaluer. Afin de garantir une bonne validité aux interprétations que l'on fera des résultats obtenus, il faut s'assurer que l'administration de l'instrument se fasse dans des conditions optimales. Par exemple, les situations de plagiat, le non-respect des consignes d'administration par l'enseignant ou le surveillant d'examen, etc., sont autant de variables qui peuvent affecter la validité de l'interprétation des résultats obtenus.

La *huitième étape* se rapporte à l'utilisation de l'instrument pour la collecte des données, leur *analyse* et l'*interprétation* des résultats. Dans le cas d'une évaluation de type informel, l'analyse et l'interprétation des données se font souvent de façon simultanée. Lorsqu'il s'agit d'une évaluation formelle avec incidence sur le cheminement scolaire de l'élève, par contre, il est important de dissocier l'analyse et l'interprétation des données. L'analyse portera alors sur la pertinence des données recueillies, sur le comportement de l'instrument par rapport aux élèves et sur celui des élèves par rapport à l'instrument. Les questions posées reflètent-elles vraiment les caractéristiques observables retenues ? Peut-on se fier aux résultats observés ?

Quant à l'interprétation des résultats, elle consistera à déterminer si ceux-ci constituent bien de bons indicateurs de la maîtrise de l'apprentissage attendu ou du comportement désiré (intérêt pour la lecture, par exemple).

La *neuvième étape* concerne la *prise de décision* et la *mise en place des actions* découlant de la décision. Il est important ici de comprendre que la démarche évaluative vise la prise de décision la mieux éclairée qui soit, et de ne pas oublier que cette prise de décision ne repose pas uniquement sur la démarche d'évaluation mise en place. D'autres informations devront peut-être être considérées, mises en perspective avec les résultats de l'évaluation en vue d'arriver à une décision soucieuse de l'élève et des impacts de l'évaluation sur son cheminement. À ce moment-là, les considérations éthiques (respect du droit de la personne, équité, etc.) deviennent importantes.

1.3 D'autres types de validité

Nous venons de définir la validité et de porter une attention particulière à la validité de contenu, type de validité le plus important lorsqu'il s'agit d'évaluation en classe. Cependant, il existe d'autres types de validité qui peuvent intéresser particulièrement les spécialistes de l'évaluation en contexte scolaire : la validité prédictive et la validité de construit.

1.3.1 La validité prédictive

Dans le contexte scolaire, on cherche souvent, implicitement ou explicitement, à établir la *validité prédictive.* Dans certaines commissions scolaires, par exemple, lorsque les élèves s'apprêtent à passer du primaire au secondaire, ils sont soumis à des examens de mathématique et de français en vue de déterminer leur classement au secondaire.

La décision concernant le classement des élèves à partir de leurs résultats renvoie au degré de confiance qu'ont les utilisateurs de ces examens sur leur validité prédictive. En d'autres termes, le résultat obtenu par un élève de la sixième année du primaire à l'examen de classement de mathématique, par exemple, est considéré comme une bonne prédiction de la réussite future de l'élève en mathématique en première secondaire. On suppose alors que des études sur la validité prédictive des examens de classement ont été menées et que l'on connaît la marge d'erreur associée aux prédictions, c'est-à-dire la validité de l'inférence que l'on fait.

1.3.2 La validité de construit

On peut aussi rechercher, dans le contexte scolaire, la *validité de construit,* type de validité souvent associé aux décisions à prendre à partir de l'utilisation d'instruments de mesure du domaine affectif. Ainsi, un enseignant peut utiliser un instrument de mesure qui porte sur des attitudes : motivation et estime de soi des élèves, par exemple. De tels concepts représentent généralement des constructions théoriques proposées par des chercheurs. Comme d'un chercheur à l'autre le concept peut être défini différemment, il est important que la personne qui élabore l'instrument de mesure explicite le construit théorique sur lequel il est basé et informe les usagers de la validité de construit de son instrument. La démarche permettant d'assurer la validité de construit d'un instrument de mesure est, de tous les types de validité, la plus complexe et déborde le cadre de cet ouvrage.

Il est important de préciser que la validité semble se préoccuper uniquement des caractéristiques liées à l'instrument de mesure. Comme l'a souligné Messick (1975), le problème majeur vient du fait qu'on se limite trop souvent à la validité de contenu et qu'on met l'accent sur l'élaboration de l'instrument de mesure plutôt que sur les résultats obtenus et l'interprétation à en faire. En effet, un test peut bien représenter le contenu qu'il est censé mesurer, mais être utilisé dans des situations et des contextes qui l'invalident. De nos jours, les auteurs sont unanimes à parler de validité lorsqu'il s'agit de démontrer la justesse et la pertinence de l'interprétation que l'on peut faire des données recueillies à la suite de l'application de l'instrument de mesure (élaboration et administration de l'instrumentation appropriée) qui a permis de les obtenir.

2 La fidélité d'une démarche d'évaluation

La fidélité d'une démarche d'évaluation est le degré de *constance* de l'interprétation faite à partir des résultats obtenus. La constance de l'interprétation peut être constatée d'au moins deux façons : par la vérification de la *stabilité de l'interprétation* des résultats de l'évaluation ou par la recherche de la *consistance interne* de la démarche d'évaluation.

2.1 La stabilité

Nous entendons par stabilité la possibilité que les conclusions faites à partir des résultats de l'évaluation ne changent pas d'une occasion à l'autre si l'on répétait la démarche d'évaluation sans qu'aucun changement (nouvel enseignement, rattrapage ou étude) influençant l'apprentissage de l'élève soit survenu entre les deux évaluations. La consistance porte sur les conclusions faites. Par exemple, si les résultats de la démarche d'évaluation amènent à conclure que les élèves n'ont pas maîtrisé le contenu d'apprentissage enseigné, cette conclusion ne devrait pas changer si nous répétions fidèlement la démarche d'évaluation et qu'entre les deux évaluations aucun apprentissage nouveau sur le contenu n'a été fait par les élèves. En d'autres termes, le but est de rendre nulle la possibilité d'erreur de décision. Il existe deux façons de calculer l'indice qui renseigne sur la stabilité d'une démarche d'évaluation. On peut s'intéresser à la stabilité des résultats et calculer le coefficient de corrélation entre les résultats des élèves obtenus aux deux moments. Si la corrélation entre les deux séries de résultats est très élevée (soit $r = 0{,}80$; r étant le coefficient de corrélation), on peut dire que la performance des élèves aux deux moments est relativement identique. Si le coefficient de corrélation est faible (soit $r = 0{,}20$, par exemple), on peut croire que les résultats des élèves aux deux moments ne sont pas stables et qu'il peut être préjudiciable d'utiliser ces résultats pour prendre des décisions importantes concernant les élèves.

On peut essayer de déterminer la stabilité des résultats de la démarche d'évaluation en s'intéressant à la *consistance de la décision.* Cette fois, on fait porter les calculs sur la stabilité de la décision plutôt que sur celle des résultats à l'examen. Si, par exemple, l'enseignant utilise une approche dichotomique (maîtrise ou non-maîtrise ; réussite ou échec), il pourra s'intéresser à vérifier si, en répétant fidèlement la démarche d'évaluation, il arrive à la même conclusion, c'est-à-dire que les élèves considérés comme ayant maîtrisé la notion la première fois sont les mêmes que ceux qui la maîtrisent la seconde fois.

Nous venons de voir que la fidélité d'une démarche d'évaluation peut être abordée par la vérification de la stabilité des résultats des élèves à l'examen ou par la détermination de la stabilité de la décision. Un autre moyen d'étudier cette fidélité concerne la consistance interne des questions ou des éléments qui composent l'instrument d'observation.

2.2 La consistance interne

Dans ce cas, il s'agit de déterminer si, par exemple, chacune des questions qui composent un examen fournit ce qu'on attend d'elle. Puisque chaque question doit contribuer à l'établissement du score total, on est en droit de vérifier si effectivement il en a été ainsi. L'exemple suivant permet de comprendre la notion de consistance interne.

Exemple

Un enseignant administre à ses élèves un examen de 10 questions portant sur l'accord des participes passés accompagnés de l'auxiliaire « avoir ». Après l'examen, il constate que les élèves n'ont pas bien répondu à quatre questions. En analysant ces questions, il découvre que la façon dont il les a posées ne permet pas vraiment de mesurer si les élèves maîtrisent la règle du participe passé. En fait, les réponses des élèves semblent indiquer que la formulation de ces questions leur a rendu la tâche difficile.

Nous sommes donc en présence d'un examen dont la consistance interne pose problème, puisque 4 des 10 questions ne contribuent pas à la mesure de la notion de participe passé. Comme on le voit, l'analyse des questions d'un examen permet de détecter celles qui peuvent être défectueuses, affectant ainsi la consistance interne de l'instrument de mesure. Si l'instrument de mesure manque de consistance interne, les décisions prises sur la base des résultats obtenus par ce dernier risquent d'être entachées d'erreurs.

Il existe une formule mathématique permettant de calculer le coefficient de consistance interne d'un examen. Il s'agit de la formule de *Kuder-Richardson 21* (*K-R21*).

$$K\text{-}R21 = \frac{K}{K-1}\left[1 - \frac{M(K-M)}{Ks^2}\right]$$

où K = nombre de questions de l'examen
M = moyenne des résultats des élèves à l'examen
s = écart type des résultats des élèves

Supposons que nous avons administré un examen de 20 questions (K = 20) à un groupe d'élèves.

En compilant les résultats des élèves, nous obtenons une moyenne de 15 sur 20 (M = 15) et un écart type de 3 (s = 3). Le coefficient de fidélité (consistance interne) s'obtient par le calcul suivant.

$$K\text{-}R21 = \frac{20}{19}\left[1 - \frac{15\,(20 - 15)}{20 \times 9}\right]$$

$$K\text{-}R21 = 0{,}61$$

Dans le contexte de la classe, un examen affichant un coefficient de fidélité de l'ordre de 0,61 peut être acceptable dans la mesure où l'enseignant ne se base pas uniquement sur ce dernier pour prendre ses décisions. Pour décider du degré acceptable d'un coefficient de fidélité, il faut prendre en considération le niveau d'importance de la décision ainsi que la quantité d'informations disponible pour nuancer les résultats obtenus par l'instrument de mesure. Frisbie (1988) rapporte que les spécialistes en évaluation semblent être unanimes à dire qu'un test qui sera utilisé pour prendre des décisions importantes concernant une personne devrait avoir un coefficient de fidélité de 0,85 et plus. Par contre, lorsque la décision porte sur des groupes d'individus (au moment de l'évaluation d'un programme d'études, par exemple), la valeur minimale du coefficient de fidélité peut être fixée à 0,65. En ce qui concerne les examens administrés par des enseignants, on peut tolérer un coefficient de fidélité se situant autour de 0,50. Cette tolérance s'explique du fait que, généralement, l'enseignant base sa décision sur plusieurs examens.

3 La validité et la fidélité dans le contexte de la mesure axée sur des performances

Si jusqu'à maintenant la recherche de la fidélité d'un instrument de mesure était considérée comme la démarche la plus importante, l'évaluation faite à partir de la mesure axée sur les performances complexes remet en question cette importance. Plusieurs auteurs (Linn *et al.*, 1991 ; Messick, 1992, 1994) croient que l'accent devrait plutôt être mis sur la validité, particulièrement la *validité de construit.*

Certains auteurs considèrent que le modèle mathématique utilisé pour déterminer la fidélité d'un instrument de mesure n'est plus approprié dans le contexte de la mesure axée sur des performances. Rappelons que dans ce modèle les conditions d'administration font partie des sources d'erreur et qu'il était donc important de rendre ces conditions le plus uniformes possible. Or, la diversité des contextes et les interactions complexes et souvent imprévisibles qui prennent naissance pendant l'observation des performances complexes constituent, par définition, des variables importantes qui conditionnent la réussite d'une tâche évaluative.

Moss (1995) croit qu'une évaluation qui se base sur l'accomplissement d'une variété de tâches complexes faisant appel à une intégration des savoirs rend impossible toute distinction entre la validité et la fidélité. De plus en plus, les chercheurs associent au concept de validité les conséquences sociales d'une décision prise à la suite d'une démarche évaluative (Cronbach, 1988 ; Linn *et al.*, 1991 ; Messick, 1989 ; Moss, 1992), rompant ainsi avec la tradition qui limitait la validité uniquement à la recherche d'une meilleure interprétation des résultats de l'évaluation. Il faut entendre par « conséquences sociales » les effets positifs ou négatifs de l'évaluation sur les élèves et leurs parents, sur la pratique de l'enseignement et sur les enseignants à qui on impose l'utilisation d'une forme d'évaluation.

Par ailleurs, d'autres auteurs tentent de trouver de nouveaux moyens pour exprimer la fidélité et la validité dans le contexte d'une évaluation axée sur la mesure des performances complexes. Reckase (1995) propose une application de la fidélité, selon la théorie classique, dans l'utilisation du portfolio. Henning-Stout (1994) fait appel aux concepts de *dépendabilité*[1] (la démarche d'évaluation est bien établie, structurée et systématique, et peut être documentée) et de *crédibilité* (les personnes concernées par l'évaluation participent à toutes ses phases) utilisés par Guba et Lincoln (1989) pour remplacer la fidélité et la validité lorsqu'il s'agit de l'évaluation en situation authentique.

4 La détection des biais

Une autre qualité d'une bonne démarche d'évaluation est qu'elle ne porte pas préjudice à certaines personnes ou groupes de personnes. S'il existe un tel biais, il affectera la validité et la fiabilité des décisions que l'enseignant peut

1. Ce terme n'existe pas en français. Il s'agit d'un calque de l'anglais *dependability* (fidélité, constance).

prendre à la suite d'une démarche d'évaluation. On dit qu'il y a biais lorsque, dans la démarche d'évaluation et dans la décision qui en découle, l'élève est pénalisé en raison de ses caractéristiques personnelles (s'il est turbulent ou dérangeant, par exemple) ou de son appartenance à un groupe particulier défini par le sexe, la religion, l'origine culturelle ou socioéconomique, etc. La présence de biais dans une démarche d'évaluation peut causer deux types de conséquences : offenser l'élève et son groupe d'appartenance, et pénaliser indûment l'élève du seul fait qu'il appartient à ce groupe ou a un comportement non acceptable n'ayant aucun rapport avec l'objet de l'évaluation. Les exemples qui suivent permettront de mieux comprendre ces situations.

Exemple : un biais offensant
La commission scolaire Laverdure administre un examen visant à vérifier la *compréhension de lecture* chez les élèves qui terminent la première année du secondaire. La réussite de l'examen est obligatoire pour la promotion à la classe supérieure. Le texte utilisé pour mesurer la compréhension de lecture raconte l'histoire d'un homme qui avait enfermé une femme dans une armure métallique qu'il chauffait ensuite.

Ce texte contient un biais offensant pour les femmes et, du même coup, risque de susciter une réaction affective chez les filles. On est en droit de se demander si, pour les filles, l'examen mesure uniquement la compréhension de lecture.

Exemple : un biais de pénalisation indue
En troisième année du primaire, un enseignant voulait évaluer chez les élèves de sa classe (10 garçons et 17 filles) la notion du *nombre manquant* (exemple : 9 + ? = 15). Voici le problème soumis aux élèves.

Lorsque Jean est arrivé pour assister à la partie de baseball, on était à la troisième manche. Si la partie comprend sept manches, combien de manches reste-t-il à jouer?

Lorsque, à la demande de l'enseignant, nous avons analysé les résultats des élèves, nous avons observé que 90 % des filles de la classe n'avaient pas donné la bonne réponse, ce qui pousse à croire que l'examen aurait pénalisé indûment les filles puisqu'il portait sur une activité qui les intéresse moins.

D'autres variables liées à l'élaboration des questions d'un examen, à l'administration et à la correction de l'examen peuvent affecter la validité d'une démarche d'évaluation. Nous avons présenté ces variables au chapitre 6.

Mise en pratique

1. Éva donne le cours d'enseignement religieux de la première secondaire à l'école des Saints-Anges. Durant la première étape, son enseignement visait à amener les élèves à comparer la situation de séparation vécue par Jésus avec des situations semblables que les jeunes peuvent connaître dans leur vie.

Avant de préparer les bulletins, Éva veut administrer un examen pour recueillir des indices permettant d'évaluer les apprentissages faits par les élèves par rapport à cet aspect de l'enseignement. Son examen, qui compte pour 60 % des résultats de l'étape, pose les questions suivantes.

1) Qu'est-ce qu'une rupture ?
2) Quelle différence existe-t-il entre les mots « rupture » et « séparation » ?
3) Donne deux exemples de ruptures que tu as vécues.
4) En quoi l'exemple de Jésus te permet-il de bien vivre de telles expériences ?

Avant d'administrer son examen, Éva vous demande de vérifier la validité de contenu de son examen et de lui dire si celui-ci renferme des biais potentiels.

2. Évita a administré un examen de 30 questions à ses élèves. Dix questions portaient sur le participe passé conjugué avec le verbe « avoir », dix autres sur le participe passé conjugué avec le verbe « être » et dix sur l'accord des adjectifs. Elle a utilisé un examen de type à choix de réponses.

Les résultats ont été les suivants.
Moyenne du groupe : 16
Écart type du groupe : 3,5

Calculez le coefficient de fidélité de l'examen. Croyez-vous qu'un tel examen possède une constance interne acceptable ? Quelles raisons expliqueraient le résultat ?

Chapitre 10

Les grilles d'observation

Une des particularités de la mesure des performances complexes, c'est que l'appréciation des performances se base sur l'observation. Par définition, une performance s'observe dans l'action ou à partir de traces indicatrices de l'action accomplie. Lorsqu'un élève exécute une œuvre musicale, donne un exposé oral, produit un texte argumentatif ou un tableau de comparaison de plusieurs périodes historiques ou construit un graphique de la température en fonction des mois de l'année, voilà autant d'activités qui peuvent être considérées comme des performances et qui se prêtent bien à l'observation.

On peut aussi se servir de grilles d'observation pour mesurer des variables affectives. Par exemple, l'enseignant qui veut évaluer l'intérêt des élèves de sa classe pour la lecture pourra utiliser une grille dans laquelle il demandera aux élèves d'indiquer le nombre de livres qu'ils lisent, les sortes de livres qui les intéressent, le nombre de fois qu'ils vont à la bibliothèque, etc. Bien sûr, l'observation ne se limite pas à l'appréciation des performances ou aux comportements affectifs et sociaux de l'élève. Des grilles d'observation peuvent recueillir de l'information sur ce qui se passe dans une classe ou sur le comportement des élèves ou de l'enseignant, par exemple. Cependant, dans le cadre de cet ouvrage, nous nous intéresserons particulièrement à l'observation comme instrument permettant d'apprécier les performances et les comportements affectifs des élèves.

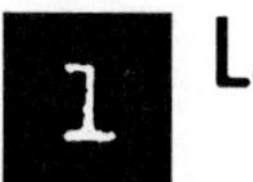

La définition

La grille d'observation est un instrument qui permet de recueillir des informations sur un phénomène donné, soit pour mieux le comprendre, soit pour l'apprécier. Lorsque la grille d'observation est utilisée pour évaluer un phénomène donné (le comportement ou la performance des élèves, par exemple), on la qualifiera souvent de *grille d'appréciation.* La grille d'observation invite donc un observateur à comparer les caractéristiques d'un phénomène observé avec celles qui sont décrites dans la grille. L'observateur peut être l'enseignant de français qui veut apprécier la performance de l'élève dans le cadre d'une communication orale, ou l'enseignant d'éducation physique qui observe, à partir d'une grille, la performance de l'élève au triple saut. L'observateur peut être un autre élève qui a pour tâche de noter, à partir d'une grille, un ensemble de comportements ou une performance chez d'autres élèves. Enfin, l'observateur et l'observé peuvent être la même personne, comme dans la situation où on demande à un élève d'apprécier sa propre performance ou son propre comportement.

Précisons que nous nous intéressons ici aux grilles d'observation qui portent principalement soit sur l'appréciation des performances liées à un *apprentissage d'ordre cognitif,* soit sur l'appréciation des *comportements affectifs* des élèves.

2 La composition d'une grille d'observation

En général, une grille d'observation pour des fins d'évaluation des performances ou des comportements affectifs comporte un ensemble de caractéristiques observables se rapportant aux informations que l'on veut tirer de l'objet d'observation. Par exemple, si l'on veut observer une communication orale (objet d'observation), les caractéristiques pourraient être le *débit,* l'*intonation* et le *niveau du discours* de l'élève. À ces caractéristiques, on associe généralement une échelle permettant d'apprécier chaque caractéristique observée. L'échelle peut être descriptive, graphique ou numérique.

Exemple

Débit	Satisfaisant.	Peu satisfaisant.	Insatisfaisant.
Niveau du discours	Satisfaisant.	Peu satisfaisant.	Insatisfaisant.

Dans ce cas, les caractéristiques « Débit » et « Niveau du discours » sont observées à l'aide d'une échelle descriptive à trois points : *satisfaisant, peu satisfaisant, insatisfaisant.* Souvent, dans le but de faciliter le traitement des données, l'échelle sera constituée de chiffres ou de cotes qui remplacent les descriptions ; une légende en précise alors le sens.

Exemple

Débit	1	2	3
Niveau du discours	1	2	3

Légende : 1 = satisfaisant ; 2 = peu satisfaisant ; 3 = insatisfaisant.

Il ne faut pas confondre une échelle descriptive qui utilise des cotes pour faciliter le traitement des données avec une échelle purement numérique, comme dans le cas suivant.

Exemple

Où se situe votre degré de satisfaction quant à l'exposé ?

1) Entre 80 % et 100 %.
2) Entre 50 % et 80 %.
3) Entre 0 % et 50 %.

3 Les grilles d'appréciation des comportements affectifs

Les grilles d'appréciation habituellement utilisées dans la pratique courante trouvent leur origine dans les travaux de Likert (1932). Nous utiliserons donc le modèle de Likert pour présenter le mode d'élaboration et d'utilisation des grilles d'appréciation, mais il faut savoir qu'il existe plusieurs variantes de ce modèle.

La grille d'appréciation de type Likert est constituée d'un ensemble d'énoncés définissant les caractéristiques de l'objet d'observation et d'une échelle descriptive en cinq points. Une telle grille invite la personne qui y répond (le répondant) à préciser elle-même son attitude par rapport au phénomène décrit dans la grille. L'exemple suivant en donne une bonne idée.

Exemple

Je trouve que les devoirs à la maison aident à mieux comprendre la matière vue en classe.

1) Pas du tout d'accord.
2) Pas d'accord.
3) Plus ou moins d'accord.
4) D'accord.
5) Très en accord.

Si, en principe, la grille de type Likert utilise une échelle à cinq points, plusieurs auteurs en modifient le nombre de points. On trouve des échelles à trois ou quatre points et d'autres, à sept ou neuf points. Plusieurs raisons expliquent ces modifications. Avec une échelle à sept ou neuf points, cependant, la description peut introduire des nuances tellement fines que les répondants risquent de ne pas comprendre la distinction que l'auteur veut faire. La réponse donnée peut alors passer à côté de ce que l'auteur voulait apprécier, ce qui risque de rendre non valide et non fiable l'interprétation que l'on fera des résultats obtenus.

Certains auteurs vont utiliser une échelle à sept ou neuf points dans le but d'obtenir une meilleure distribution des réponses et éviter que les répondants ne concentrent leurs réponses au point milieu, comme cela pourrait arriver dans le cas d'une échelle à trois, quatre ou cinq points. D'autres auteurs utilisent une échelle à deux points (« Oui » ou « Non ») ou une échelle à trois points pour des grilles d'appréciation destinées particulièrement aux élèves du primaire ou à des groupes d'élèves qui risquent d'éprouver de la difficulté à saisir les nuances d'une échelle à cinq points. En résumé, dans le choix du nombre de points d'une échelle, il faut prendre en considération les caractéristiques des sujets qui répondront à la grille ou, lorsqu'il s'agit d'observateurs externes, le temps nécessaire pour compléter efficacement la grille.

La popularité des grilles de type Likert peut s'expliquer par le fait que les cotes (1, 2, 3, 4, 5) associées aux descriptions peuvent être traitées mathématiquement. Des études ont démontré que si l'on respecte les conditions prescrites pour élaborer une telle grille, les cotes peuvent s'additionner. C'est pour cette raison que la grille de Likert porte aussi le nom de grille à *classement additionné.* Quelles sont donc les conditions qui rendent possible le traitement mathématique des échelles de cette grille ?

La *première condition* concerne l'existence d'un construit théorique à partir duquel les énoncés sont élaborés. Prenons, par exemple, le concept des croyances à l'égard de l'évaluation. Louis (1990) a démontré théoriquement que ce concept peut se décomposer sous la forme de trois approches différentes de l'évaluation. Pour chacune des approches, on formule un ensemble d'énoncés qui s'y rapportent (*voir le questionnaire sur les croyances au chapitre 5*).

Exemple

Approche 1	Approche 2	Approche 3
Énoncé 1.A	Énoncé 2.A	Énoncé 3.A
Énoncé 1.B	Énoncé 2.B	Énoncé 3.B
Énoncé 1.C	Énoncé 2.C	Énoncé 3.C
Et ainsi de suite	Et ainsi de suite	Et ainsi de suite

La *deuxième condition* se rapporte à l'additivité des énoncés à l'intérieur de chaque approche. Les énoncés retenus (les caractéristiques observables) pour une approche (la dimension) appartiennent-ils vraiment à cette approche ? Si oui, les énoncés peuvent s'additionner et le score obtenu peut alors être un bon indicateur de la position de la personne par rapport à cette dimension.

La *troisième condition* porte sur la variabilité en intensité de l'objet d'observation. Puisque celui-ci peut varier en intensité, on peut croire à la continuité des points de l'échelle. Lorsqu'on choisit l'énoncé des points 1 2 3 4 5, on doit s'assurer que ceux-ci définissent bien une forme de *continuum.* En principe, le *continuum* est généralement bipolaire, avec ou sans un point milieu. Le *continuum* traduit l'*intensité* avec laquelle la personne aborde l'objet à évaluer : de *Pas du tout d'accord* à *Tout à fait d'accord,* par exemple. Le *continuum* bipolaire se voit bien dans l'exemple de la figure 10.1.

1. Pas du tout d'accord.
2. Pas d'accord.

3. Plus ou moins d'accord.

4. D'accord.
5. Tout à fait d'accord.

Figure 10.1 **« Continuum » bipolaire avec un point milieu**

Lorsque l'énoncé est une représentation positive de l'objet à évaluer (énoncé positif), le point 5 constitue le score le plus élevé par rapport à l'énoncé. Si l'énoncé est plutôt une représentation non positive (énoncé négatif), l'échelle doit être inversée : le point 1 devient 5, le point 2 devient 4, et ainsi de suite.

Exemple
Objet d'évaluation : Intérêt pour la lecture.
Énoncé positif : J'aime lire le soir, avant de me coucher.
Énoncé négatif : Lire, c'est perdre son temps.

On s'attend à ce que la personne ayant un intérêt pour la lecture réponde *Tout à fait d'accord* au premier énoncé et *Pas du tout d'accord* au second. Il faut donc inverser les points de l'échelle pour le second énoncé.

3.1 Les étapes à suivre pour construire une grille d'appréciation de type Likert

Les étapes que nous proposons ici s'adressent aux enseignants et non aux personnes qui veulent devenir des spécialistes de la mesure des variables affectives, qui consulteront plutôt des livres traitant spécifiquement de ce domaine.

En classe, l'enseignant veut souvent connaître l'intérêt des élèves pour le cours, la lecture, les mathématiques, l'histoire, etc. Il peut aussi se sentir préoccupé par la participation des élèves en classe, ou par des comportements indésirables que certains élèves manifestent en classe ou à l'école. Dans de tels cas, l'utilisation d'une grille d'appréciation de ces variables convient parfaitement. Voyons donc les étapes à suivre pour construire une grille du type Likert.

Étape 1 L'enseignant devra premièrement cerner l'objet d'évaluation en le précisant et en recherchant les dimensions sous lesquelles il peut être observé. En général, l'objet d'évaluation est facile à trouver puisque l'enseignant sait pertinemment quels comportements affectifs le dérangent ou l'intéressent. Par contre, le choix des dimensions à retenir pour l'observation n'est pas du tout facile. Ces dimensions doivent être observables et leur présence doit être une manifestation de ce que l'on veut évaluer.

Exemple
Objet d'évaluation : Participation des élèves en classe.
Dimensions retenues : Degré d'attention, questionnement, exécution des tâches demandées, etc.

Étape 2 Il convient ensuite de décider si la grille sera utilisée par l'enseignant pour observer les élèves ou si ce sont les élèves qui répondront aux énoncés de la grille. La façon de formuler les énoncés et le choix du mode de réponse en dépendent.

Étape 3 Puis vient l'élaboration des énoncés pour chacune des dimensions. En principe, il faut des énoncés positifs et des énoncés négatifs, comme nous l'avons vu plus haut. Les énoncés doivent être clairs et explicites pour l'élève ou pour l'enseignant. En contexte de classe, un nombre de quatre énoncés (deux positifs et deux négatifs) peut être suffisant pour une dimension donnée. En général, il est conseillé de préparer le plus d'énoncés possible, car certains, pour diverses raisons, ne tiendront pas la route au moment de l'analyse ultérieure des énoncés.

Étape 4 L'enseignant choisira maintenant l'échelle d'appréciation en déterminant la description associée aux points de l'échelle et le nombre de points de cette dernière. Le nombre de points dépendra du niveau des élèves (primaire ou secondaire). Si c'est l'enseignant qui observe, le nombre de points de l'échelle doit tenir compte du temps d'observation disponible et des caractéristiques à observer. La description des points de l'échelle peut exprimer une qualité (d'accord, plus ou moins d'accord ou pas d'accord) ou la fréquence (souvent, rarement ou jamais).

Étape 5 Si ce sont les élèves qui doivent répondre à la grille, il faut préparer un texte explicatif (des consignes) qui les informe sur le but de la grille, sur la façon d'y répondre et, surtout, sur le respect de la confidentialité des réponses.

Exemple

Voici un questionnaire qui vise à connaître votre intérêt pour la lecture. Nous vous demandons de répondre sérieusement à tous les énoncés. Ce questionnaire se veut *anonyme,* par conséquent vous *ne devez pas y inscrire votre nom.* Il n'y a ni bonnes ni mauvaises réponses. Il s'agit uniquement de connaître votre point de vue par rapport à chacun des énoncés. Voici un exemple de la façon de répondre.

Je suis content ou contente lorsqu'on me donne un livre en cadeau.

1 2 3 4 (5)

Dans cet exemple, la personne a encerclé le chiffre 5 puisqu'elle est tout à fait d'accord avec ce qu'affirme l'énoncé, c'est-à-dire qu'elle est très contente lorsqu'elle reçoit un livre en cadeau.

Lorsque vous aurez terminé, vous viendrez déposer votre questionnaire dans la boîte qui se trouve...

Tournez la page pour commencer à répondre au questionnaire.

Étape 6 Cette étape concerne la *validation de contenu des énoncés.* L'enseignant peut demander à des personnes externes à sa classe de lire les énoncés et l'échelle pour vérifier si les énoncés sont clairs et pertinents, si l'échelle définit un *continuum* acceptable, et surtout si le choix de la description (qualité ou fréquence) est bien justifié.

Étape 7 Il convient ensuite d'administrer la grille une première fois pour voir si elle fonctionne bien. On effectue ainsi une forme de validation expérimentale de la grille. L'administration expérimentale peut se faire auprès de ses propres élèves ou en bénéficiant de la collaboration d'un collègue.

Étape 8 La dernière étape concerne la correction des réponses et la détermination des scores de chaque élève et du groupe. C'est à ce moment qu'il faut procéder à l'analyse de la valeur des énoncés par rapport aux réponses des élèves. Il faudra éliminer tout énoncé qui présente un dysfonctionnement par rapport aux autres énoncés partageant la même dimension. Par exemple, un nombre important d'élèves peut n'avoir pas répondu à un énoncé donné, suggérant ainsi que les élèves n'ont pas compris l'énoncé, ou que celui-ci est ambigu. Un autre énoncé pourrait obtenir la même cote de la part de tous les élèves, suggérant peut-être la présence de désirabilité sociale (les élèves répondent ainsi parce que c'est socialement acceptable ou pour plaire à l'enseignant et non pas pour exprimer vraiment leur position par rapport à ce que l'énoncé voulait mesurer).

Il peut être intéressant de savoir qu'il existe des logiciels statistiques permettant de calculer la fiabilité d'une grille de type Likert. On peut alors déterminer la consistance interne de l'instrument (c'est le coefficient alpha de Cronbach qui est généralement utilisé), qui doit se situer autour de 0,80 et plus pour que l'instrument soit considéré comme assez fiable. Le coefficient α de Cronbach permet de calculer le coefficient de fidélité d'un instrument grâce auquel on peut obtenir plusieurs catégories de réponses (1, 2, 3, 4, 5) qui sont toutes acceptables. Ces logiciels peuvent aussi indiquer quels énoncés il faudrait enlever pour augmenter la consistance interne de la grille. Comme nous l'avons mentionné dans le chapitre précédent, en contexte de la classe le coefficient peut être inférieur à 0,80, surtout lorsque :

- les décisions à prendre n'affectent pas un élève en particulier et portent sur un groupe d'élèves ;
- l'instrument n'est pas la seule source d'information utilisée par l'enseignant.

3.2 L'utilisation des résultats de la grille d'appréciation

Les résultats obtenus à la suite de l'administration à un groupe d'élèves d'une grille d'appréciation des comportements affectifs sont généralement utilisés en référence au groupe et non à l'élève. On sait que la réponse de l'élève ne peut être fiable que dans la mesure où le dispositif permettant de respecter l'anonymat a bien fonctionné, et où les énoncés sont clairs, pertinents et n'induisent pas la désirabilité sociale chez les élèves.

Prenons le cas d'une grille contenant 20 énoncés avec une échelle à 5 points. Le score de chaque élève pourra alors varier entre le minimum 20 et le maximum 100. La moyenne du groupe reflétera une telle variation. Plus la moyenne se rapproche de 100, plus l'attitude des élèves par rapport à l'objet mesuré est positive. Si l'enseignant administre la grille à deux moments donnés, il pourra vérifier le progrès du groupe par rapport à l'attitude qui a fait l'objet de l'évaluation.

4 Les grilles d'appréciation des apprentissages cognitifs

La démarche d'élaboration que nous venons de voir pour une grille de type Likert est généralement utilisée pour apprécier avec le plus de validité possible les performances des élèves dans la réalisation d'une tâche donnée. Dans ce cas, les énoncés décrivent les aspects observables de la performance sous la forme d'un *continuum* discret variant de l'absence de la performance à la performance maximale. Au chapitre 7, qui traite de l'évaluation en situation authentique, nous avons étudié de telles grilles en détail.

5 La liste de vérification

Nous venons de voir que les grilles d'appréciation peuvent s'appliquer dans la mesure des variables affectives aussi bien que dans la mesure des variables cognitives. En contexte d'évaluation, il existe un autre type de grille d'observation qui n'est pas à proprement parler une grille de vérification. La grille porte donc le nom de *liste de vérification.* Son élaboration suit les mêmes étapes et s'appuie sur les mêmes fondements que ceux des grilles d'appréciation. Les listes de vérification diffèrent des grilles d'appréciation du fait qu'elles permettent uniquement de vérifier la présence ou l'absence des caractéristiques essentielles de l'objet que l'on veut évaluer.

Exemple
Pour rédiger un résumé critique de lecture, il y a des étapes à suivre. Cochez celles que vous avez suivies.

- Choisir le sujet. ______
- Lire au moins deux articles qui traitent de ce sujet. ______

- Résumer les articles lus. ______
- Rédiger un premier texte brouillon. ______
- Réviser le texte. ______
- Écrire la version finale. ______

Comme on peut le voir par cet exemple, la liste de vérification se limite à vérifier si les caractéristiques de l'objet de l'évaluation sont présentes ou absentes. Une telle liste ne renseigne pas sur la qualité ou la fréquence de la caractéristique observée. On utilise généralement la liste de vérification lorsqu'on veut vérifier si les étapes de réalisation d'une activité donnée ont été respectées ou suivies.

La liste de vérification est souvent utilisée pour aider les élèves à mieux se rappeler les étapes ou les démarches nécessaires à la mise en œuvre d'une performance donnée. On s'en sert aussi dans la mesure de certaines performances techniques : les étapes à suivre pour commencer une leçon (*voir l'exemple de la figure 10.2*), pour administrer une injection, pour diagnostiquer une panne de moteur de voiture, etc.

Nom du ou de la stagiaire : ______________________

Date de l'observation : ______________________

Nom de l'observateur
ou de l'observatrice : ______________________

Le ou la stagiaire :

- se tient à la porte de sa classe pour accueillir les élèves ; ______
- accueille les élèves avec un large sourire ; ______
- attend que les élèves soient attentifs avant de commencer la leçon ; ______
- inscrit au tableau les objectifs de la leçon ; ______
- Et ainsi de suite. ______

Figure 10.2 **Exemple d'une liste de vérification**

6 Les avantages et les limites des grilles d'observation

Comme nous l'avons souligné plus haut, lorsqu'il s'agit d'évaluer une performance complexe, un comportement socioaffectif ou un geste moteur, *la grille d'observation est l'instrument idéal.* Son utilité est manifeste lorsqu'on veut évaluer, par exemple, un élève qui souffre d'un handicap (moteur ou cérébral) l'empêchant de s'exprimer par écrit. La grille d'observation trouve toute son importance lorsque les informations recherchées visent à faciliter la compréhension du processus d'apprentissage de l'élève.

Cependant, la grille d'observation présente des limites. Le premier problème qu'éprouve la personne qui élabore une telle grille concerne la détermination des caractéristiques observables de l'objet d'évaluation, qui doivent être spécifiques et précises tout en étant assez larges pour ne pas restreindre la portée de la performance ou du comportement à observer. Le second problème qui se pose est le suivant : il se peut qu'au moment de l'observation, il ne soit pas possible de repérer toutes les caractéristiques retenues, alors que d'autres caractéristiques aussi importantes peuvent se manifester sans qu'on y ait pensé avant. Pour atténuer ces problèmes, il faut accorder un soin particulier à l'élaboration de la grille et y prévoir de la place pour noter les aspects importants qui pourraient apparaître au moment de l'observation. En fait, une grille élaborée pour la première fois doit faire l'objet d'une étude et d'ajustements afin de l'améliorer en prévision de son utilisation future.

Voyons maintenant plus spécifiquement les limites des grilles d'appréciation des comportements affectifs et des apprentissages d'ordre cognitif et celles des listes de vérification.

La *grille d'appréciation,* surtout, a des limites qu'il importe de bien cerner. Lorsqu'une telle grille est utilisée par l'élève pour apprécier sa performance ou les caractéristiques de son comportement affectif, l'appréciation que fait l'élève peut être non valide, non pas parce qu'il veut tromper l'enseignant, mais parce que des aspects de sa personnalité peuvent y introduire des biais. Certains individus ont une tendance naturelle à se sous-estimer ou, au contraire, à se surestimer. Dans une grille d'appréciation des attitudes peut se manifester ce que les auteurs appellent la désirabilité sociale : la personne pourra donner une réponse uniquement parce que celle-ci est socialement acceptable, ou parce que la personne croit que cette réponse fera plaisir à l'évaluateur. Bien sûr, on peut recourir à l'anonymat des réponses pour contrôler une partie de la désirabilité sociale. Il faut cependant savoir que celle-ci demeure souvent présente même si l'individu sait que la grille est anonyme.

Lorsque l'enseignant utilise la grille d'appréciation, les limites suivantes peuvent affecter les résultats. L'observation passe d'abord par un premier instrument, les yeux de l'observateur, et risque alors d'être influencée par des caractéristiques non retenues dans la grille. La connaissance des élèves observés peut affecter l'appréciation faite par l'enseignant (effet de halo). De plus, des traits de la personnalité de l'observateur peuvent introduire des biais dans l'utilisation de la grille d'appréciation. Par exemple, certains individus ont tendance à choisir systématiquement le point milieu de l'échelle en évitant les extrêmes (effet de tendance au centre), d'autres individus seront plus enclins à donner une bonne cote à la personne observée tout en sachant que cette cote ne représente pas l'observation faite (effet dit de « la chance au coureur »).

En ce qui concerne la *liste de vérification*, nous avons déjà souligné que sa principale limite réside dans le fait qu'elle n'indique que les étapes suivies et ne donne pas d'information sur la qualité ou la fréquence de ce qui est fait. Bien sûr, on pourrait combiner la liste de vérification et la grille d'appréciation pour atténuer cette limite. Mais le temps qu'exigerait l'utilisation d'une grille combinée serait énorme, rendant à notre avis son application particulièrement lourde. En fait, la liste de vérification devrait simplement être considérée comme un instrument de vérification des activités que doit conduire l'élève en vue de réaliser efficacement une tâche donnée.

Mise en pratique

1. La directrice de l'école où vous enseignez sait que vous avez suivi un cours en évaluation. Elle fait appel à vous en vue de connaître l'intérêt des élèves pour la discipline que vous enseignez. Cette information aidera l'école à mieux définir son projet éducatif. Préparez un court questionnaire, comprenant environ 10 énoncés, que tous les élèves devront remplir.

2. Un comité d'étudiants vous demande de préparer un questionnaire constitué de 10 à 20 énoncés qui permettront aux étudiants inscrits à un cours donné d'évaluer l'enseignement reçu.

   En présentant votre questionnaire au comité, donnez des explications sur :

   a) les choix que vous avez faits ;
   b) la façon de traiter les résultats ;
   c) la prise de décision qui devrait suivre sur la qualité de l'enseignement reçu.

Chapitre 11

L'enseignement et l'évaluation des habiletés sociales

Les recherches démontrent que le comportement social de l'élève dans la classe est étroitement lié à son rendement scolaire (Wentzel, 1991). Il est démontré aussi que le comportement social des élèves en classe influe sur la qualité de l'enseignement et la profondeur des apprentissages des élèves. Lorsque dans une classe le comportement des élèves laisse à désirer, l'enseignant se voit forcé de consacrer une grande partie du temps d'enseignement à faire régner la discipline. Pour ces raisons, les comportements indésirables des élèves demeurent une préoccupation constante de tout enseignant, expérimenté ou débutant. En fait, Veenman (1984) rapporte que le problème de la discipline en classe est celui qui préoccupe le plus les enseignants débutants.

Tout préoccupés qu'ils soient du comportement des élèves en classe, les enseignants limitent souvent leur intervention à communiquer des règles de conduite en classe et à les faire respecter en récompensant les élèves qui s'y conforment et en punissant ceux qui les enfreignent. Certains chercheurs considèrent que la communication de normes sociales aux élèves et les discussions organisées par des enseignants sur les règles de conduite en classe et dans l'école constituent une forme d'enseignement des normes sociales. Ils notent toutefois que cela ne semble pas suffire puisque les comportements indésirables de certains élèves ne s'atténuent pas pour autant. Ces chercheurs arrivent aussi à la conclusion que, malgré l'importance qu'enseignants et élèves accordent au respect des normes sociales en classe, les enseignants consacrent très peu de temps à les enseigner comme telles et, souvent, ne les enseignent même pas du tout.

Bien sûr, les enseignants eux-mêmes sont conscients que ce qu'ils font pour éduquer les élèves quant au respect des normes sociales ne suffit pas. Généralement, ils ne sont pas outillés pour enseigner les habiletés sociales qui induisent des comportements acceptables en classe. En conséquence, ou ils jugent que cet aspect de l'enseignement ne leur appartient pas ou ils s'adressent à d'autres ressources de l'école (directeur, psychologue, psychoéducateur) pour tenter d'apprendre comment intervenir lorsque, systématiquement, un élève ne respecte pas les règles de fonctionnement édictées en classe. Enfin, certains enseignants trouvent que le temps disponible pour « couvrir le programme » est tellement limité qu'ils ne peuvent se permettre d'en prendre pour enseigner vraiment les habiletés sociales.

Toutefois, il faut souligner que les comportements indésirables demeurent l'expression d'attitudes qui, bien souvent, relèvent de contextes extérieurs à la classe, d'où la présence, dans les écoles, de spécialistes (psychologues, psychoéducateurs, etc.) pouvant intervenir auprès des élèves qui démontrent des attitudes non propices à l'apprentissage et dont les comportements dérangent les autres élèves de la classe. Par contre, l'enseignant ne peut pas rester indifférent, dans sa classe, à certains comportements spécifiques, connus et continus qui perturbent la classe, affectent son enseignement et nuisent à l'apprentissage de l'élève concerné.

Ceci nous amène à distinguer deux niveaux d'intervention dans le domaine des habiletés sociales nécessaires à l'élève pour bien fonctionner en classe. Le premier concerne la mise en œuvre par des spécialistes d'une instrumentation spécialisée pour évaluer les attitudes et procéder à un programme d'intervention. Pour ces spécialistes, l'instrumentation doit répondre à des exigences méthodologiques reconnues : l'instrument de mesure de l'attitude et le programme d'intervention doivent avoir été expérimentés et validés.

Le second niveau d'intervention concerne l'enseignant dans sa classe. Celui-ci n'intervient pas directement sur les attitudes, au sens strict du terme. Il se préoccupera principalement de développer des comportements désirables favorisant l'apprentissage des élèves, contribuant ainsi à éliminer certains comportements indésirables qui, selon lui, nuisent à l'enseignement et à l'apprentissage dans la classe. Dans les pages qui suivent, c'est à cette forme d'intervention que nous nous intéresserons; pour en savoir plus sur la mesure et l'évaluation dans le domaine affectif, on pourra consulter des manuels qui les traitent en profondeur.

1 Les habiletés sociales en contexte de classe

Nous pouvons regrouper tous les comportements socioaffectifs des élèves en contexte de classe sous le vocable d'*habiletés sociales.* En effet, la classe est caractérisée par sa dimension sociale : *lieu où un ensemble de personnes se réunissent pour faire un même apprentissage, pour participer à des activités communes.* Pour certains auteurs, dont Gerlach (1994), l'apprentissage se déroule dans un contexte social caractérisé entre autres par la communication, l'interaction et la diversité des expériences des différents acteurs. En choisissant de regrouper les comportements socioaffectifs des élèves sous le terme d'habiletés sociales, nous tenons pour acquis que ces habiletés peuvent faire l'objet d'un enseignement en contexte de classe. En conséquence, il faudra définir une approche de l'enseignement des habiletés sociales et mettre au point des mécanismes de collecte d'informations sur la présence ou sur le développement de ces habiletés chez les élèves (évaluation des habiletés sociales).

Plusieurs études ont été menées sur l'enseignement et l'évaluation des habiletés sociales, la plupart dans le cadre de la pédagogie coopérative (Johnson et Johnson, 1989). Borsworth et Hamilton (1994) ont établi une taxonomie des habiletés de collaboration, de laquelle nous avons extrait les habiletés suivantes pour illustrer ce qui peut constituer des habiletés sociales.

Habiletés interpersonnelles :
- habileté à garder et maintenir un contact visuel avec l'interlocuteur;
- habileté à écouter attentivement;
- habileté à faire une critique positive et constructive.

Habiletés liées au travail en équipe :
- habileté à organiser son travail;
- habileté à contribuer au travail d'équipe;
- habileté à assumer des rôles et des responsabilités dans une équipe;
- habileté à exprimer de l'empathie pour les autres.

Pour chacune des catégories, la liste reste ouverte. On peut y ajouter d'autres habiletés qui peuvent se manifester dans certains contextes de classe. Par exemple, dans notre expérimentation portant sur la pédagogie coopérative avec des enseignants du Québec (Louis, 1996) et des enseignants de Lyon (France) et de Genève (Suisse), la préoccupation des enseignants visait particulièrement des considérations pratiques. Ainsi, l'*habileté à travailler en équipe* devenait une priorité. Pour ces enseignants, les caractéristiques observables de cette habileté représentaient des situations de classe qui pouvaient assurer de meilleures conditions d'apprentissage et d'enseignement. Nous présentons ci-dessous l'habileté générale et les habiletés spécifiques retenues par les enseignants.

Habileté à travailler en équipe :

- se déplacer de façon ordonnée sans déranger ;
- rester dans le groupe ;
- parler à voix basse ;
- démontrer de l'intérêt pour le travail ;
- encourager l'autre ;
- se conformer au signal ou aux consignes de l'enseignant ;
- attendre son tour pour prendre la parole.

2 L'enseignement et l'évaluation des habiletés sociales

Pour certains élèves, les habiletés sociales sont implicitement apprises et mises en pratique dans leur mode de fonctionnement à la maison et à l'école. Pour d'autres, le contexte de vie personnel ou familial peut ne pas leur avoir permis de faire de tels apprentissages. Puisque, à notre avis, les habiletés sociales peuvent être enseignées à l'école, nous expliquerons comment le faire dans les pages qui suivent. Notre expérience en pédagogie coopérative nous permet en effet de mettre en lumière les principales étapes suivantes de l'enseignement et de l'évaluation des habiletés sociales.

2.1 L'étape de détermination de l'habileté sociale à enseigner

L'apprentissage d'une habileté sociale dépend de cette première étape, au cours de laquelle l'enseignant doit formuler de façon explicite l'habileté sociale à enseigner. En pratique, l'enseignant devra partir des comportements indésirables observés et déterminer une ou deux habiletés sociales susceptibles de changer ces comportements.

Par exemple, l'enseignant pourra arriver à la conclusion que « encourager l'autre » est une habileté sociale à enseigner parce que celle-ci diminue la compétition entre les élèves et crée un climat social plus vivable dans la classe.

Une fois l'habileté sociale cernée et retenue, l'enseignant informe les élèves qu'elle fera l'objet d'un enseignement. Il pourra, sous la forme d'un exposé interactif, amener les élèves à se *représenter cette habileté* et à en reconnaître l'*importance* et l'*utilité*.

Les questions suivantes pourront être posées aux élèves.

- Que signifie pour vous « encourager l'autre » ?
- Est-ce important d'encourager quelqu'un ?
- Est-ce utile d'encourager quelqu'un ?
- Comment vous sentez-vous quand quelqu'un vous encourage ?

Cette démarche est importante pour assurer la motivation des élèves dans l'apprentissage de l'habileté. Les études sur la motivation démontrent en effet que la perception de l'importance et de l'utilité d'une activité d'apprentissage est une des composantes de la dynamique motivationnelle.

2.2 L'étape de définition des indicateurs de l'habileté sociale

La deuxième étape consiste à retenir un ensemble de comportements ou de gestes susceptibles d'être observés en classe et qui témoignent de la présence de l'habileté. La participation des élèves dans le choix des attributs observables de l'habileté constitue un autre moyen d'assurer la motivation des élèves à apprendre l'habileté. Les chercheurs en pédagogie coopérative utilisent un tableau en T pour inscrire les attributs observables de l'habileté à enseigner.

L'enseignant demandera aux élèves de préciser ce que l'on peut voir et entendre lorsque l'habileté en question est présente. En reprenant l'exemple de l'habileté sociale « encourager l'autre », le tableau en T pourra être le suivant.

Le tableau pourra être affiché dans la classe afin de rappeler aux élèves les gestes et les paroles qui expriment l'habileté sociale à apprendre.

Tableau 11.1 **Comportements observables d'une habileté sociale à enseigner**
Habileté sociale : encourager l'autre

Ce que l'on peut voir	Ce que l'on peut entendre
1. Regards posés sur celui ou celle qui parle.	**1.** Vas-y ! Tu l'as !
2. Signes d'acquiescement, avec la tête.	**2.** Continue, c'est très intéressant.
3. Attention marquée des élèves.	**3.** C'est super !
4. Et ainsi de suite.	**4.** Et ainsi de suite.

2.3 L'étape d'élaboration d'une méthode d'observation de l'habileté sociale

Les gestes retenus dans le tableau en T deviennent les indicateurs à partir desquels se fait l'évaluation de l'habileté sociale. Une grille d'observation (*voir le chapitre 10*) portant sur les caractéristiques ou les gestes retenus est alors élaborée par l'enseignant, qui devra décider si l'observation portera sur la fréquence des gestes ou sur la qualité du comportement.

Exemple

Grille d'observation : Fréquence des comportements visant le développement de l'habileté sociale « encourager l'autre »

• Regards posés sur celui ou celle qui parle.	1	2	3	4	5
• Signes d'acquiescement, avec la tête.	1	2	3	4	5
• Attention marquée des élèves.	1	2	3	4	5
• Encouragements verbaux.	1	2	3	4	5

Légende

Le comportement s'est manifesté :

au moins une fois (1) ;
deux fois (2) ;
trois fois (3) ;
quatre fois (4) ;
cinq fois et plus (5).

2.4 L'étape de la rétroaction

À la fin de chaque activité d'enseignement, l'enseignant utilise les observations faites à partir de la grille pour donner une rétroaction aux élèves sur l'habileté sociale enseignée. Il peut aussi demander à un élève de faire les observations en utilisant cette grille, puis de présenter à toute la classe le résultat de ses observations.

Dans le cas où les élèves travaillent en équipes, l'enseignant pourra demander à chaque équipe de nommer un observateur qui, tout en participant au travail que doit produire l'équipe, aura pour tâche de noter la fréquence des indicateurs retenus. Ensuite, chaque équipe donnera les résultats de l'observation de l'habileté sociale en question. Dans une telle situation, les discussions de classe et les encouragements de l'enseignant contribuent à une meilleure appropriation par les élèves de l'habileté sociale concernée.

3 Quelques considérations pratiques

Notre expérience avec des enseignants sur la mise en pratique de l'enseignement et de l'évaluation des habiletés sociales nous amène à énoncer certaines considérations pratiques.

Il est souvent difficile pour l'enseignant d'accepter que l'apprentissage des habiletés sociales, comme tout apprentissage, est graduel. Certains enseignants semblent croire que l'habileté sociale, une fois enseignée, devrait être apprise et mise en application par l'élève immédiatement après. Cette attente les amène à être impatients ou déçus et, en conséquence, ils sont moins enclins à continuer un tel enseignement.

Certains enseignants restent tellement préoccupés de « couvrir » le programme d'études qu'ils abandonnent rapidement l'enseignement des habiletés sociales au profit de la matière scolaire. Ils font ce choix même s'ils reconnaissent l'importance de l'enseignement des habiletés sociales pour une meilleure gestion de la classe.

Les enseignants qui semblent tirer profit de l'enseignement des habiletés sociales sont souvent ceux qui intègrent régulièrement ces habiletés dans les activités de français, de mathématique ou d'autres matières. Ces enseignants rappellent aux élèves l'habileté sociale qui sera observée durant l'activité liée à la matière. Généralement, on se sert d'une grande affiche pour énumérer les éléments du tableau en T, particulièrement au primaire. Au secondaire, des consignes verbales pourront suffire.

Certains enseignants invitent les élèves eux-mêmes à utiliser la grille d'observation des habiletés sociales afin d'apprécier les comportements des membres de leur groupe au cours d'activités de travail en équipe. D'autres enseignants font appel aux élèves qui ne semblent pas faire preuve des comportements attendus afin qu'ils observent, à l'aide de la grille, ces comportements chez les autres. Ces pratiques sont autant de moyens destinés à favoriser l'apprentissage par les élèves des habiletés sociales.

Exemples de grilles d'observation des habiletés sociales

Dans l'exemple de la figure 11.1 (*voir la page 154*), la grille concerne l'*habileté à travailler en équipe* vue plus haut, et les habiletés spécifiques qui en découlent constituent les caractéristiques observables de l'habileté. Rappelons qu'il est possible de prendre chacune des habiletés spécifiques et de déterminer les caractéristiques observables qui s'y rapportent.

La grille de la figure 11.1 est une liste de vérification élaborée dans le but d'aider l'élève à prendre conscience de son propre comportement en vue d'y apporter des améliorations.

Habileté à travailler en équipe

Nom : ______________________ Date : ______________

Consignes

1. Coche la phrase qui décrit bien ton comportement durant le travail d'équipe de ce matin.
2. Dessine une étoile devant le comportement que tu voudrais avoir la prochaine fois que tu travailleras en équipe.

☐ Je me déplace de façon ordonnée, sans déranger.
☐ Je reste dans le groupe.
☐ Je parle à voix basse.
☐ Je démontre de l'intérêt pour le travail.
☐ J'encourage les autres.
☐ Je me conforme au signal ou aux consignes de l'enseignant.
☐ J'attends mon tour pour prendre la parole.

Figure 11.1 **Premier exemple de grille d'observation des habiletés sociales**

Autoévaluation de ma contribution au travail d'équipe

Consigne

Ce questionnaire a pour but de t'aider à évaluer ta contribution au travail d'équipe. Coche la phrase qui décrit le mieux ton comportement. Le questionnaire est anonyme.

1. **Ma préparation à chaque séance de travail**
   ☐ J'étais relativement bien préparé.
   ☐ J'aurais pu mieux me préparer.
   ☐ Je n'étais pas préparé.
2. **L'apport de mes idées**
   ☐ J'ai apporté fréquemment des idées.
   ☐ J'aurais pu apporter davantage d'idées.
   ☐ Je n'ai pas apporté beaucoup d'idées.
3. **Mon respect des idées des autres**
   ☐ J'ai bien respecté les idées des autres.
   ☐ J'aurais pu respecter davantage les idées des autres.
   ☐ J'ai parfois tenté d'imposer mes idées.
4. **Ma participation au travail d'équipe**
   ☐ Je crois que j'ai beaucoup investi dans ce travail d'équipe.
   ☐ J'aurais pu investir davantage dans ce travail d'équipe.
   ☐ Je n'ai pas investi dans ce travail d'équipe.

Figure 11.2 **Second exemple de grille d'observation des habiletés sociales**

Nous avons vu, au chapitre 8, l'importance de l'autoévaluation dans le processus d'apprentissage de l'élève. Nous avons entre autres souligné qu'il est essentiel de développer chez l'élève la réflexion sur la démarche qu'il a choisie pour réaliser un apprentissage ou réussir une tâche donnée. Une grille comme celle de la figure 11.2 permet à l'élève de prendre conscience de sa contribution à un travail d'équipe.

Mise en pratique

Vous faites de la suppléance dans une classe de sixième année. Vous remarquez que les élèves démontrent des comportements indésirables en classe.

En prévision de votre prochaine leçon, vous voulez travailler l'habileté sociale nécessaire pour diminuer les comportements indésirables.

Préparez une grille d'observation du nouveau comportement attendu.

Dans ce travail, vous devez :

- déterminer l'habileté qu'il convient de développer dans le travail en équipe (soit en classe, soit au laboratoire ou en atelier, ou dans la réalisation d'un projet en dehors de la classe) ;
- énumérer les comportements observables liés à l'habileté sociale ;
- élaborer une grille d'observation de ces comportements ;
- décrire comment vous envisagez de donner de la rétroaction aux élèves à partir des informations que vous obtiendrez grâce à cet instrument.

Chapitre 12

Statistiques utiles à l'enseignant

Dans le présent chapitre, nous abordons les premiers rudiments de la statistique, tels que l'enseignant peut les utiliser dans le contexte de la classe. Bien sûr, il est impossible de traiter ici de tous les indices statistiques généralement utilisés en éducation ; à ce sujet, il faudra consulter d'autres ouvrages plus spécialisés. Notre approche est plus didactique et nous utilisons, dans la mesure du possible, les termes employés dans le langage courant, ne recourant aux termes proprement statistiques que lorsque nous ne pouvons faire autrement.

1 La description des données d'observation

De façon générale, l'enseignant fait quotidiennement des observations sur les apprentissages des élèves et leur comportement. Puisque ces observations sont faites dans une classe où les élèves sont plus ou moins nombreux, et puisqu'elles varient d'un élève à l'autre et d'un moment à un autre, il devient nécessaire pour l'enseignant de pouvoir regrouper une série d'observations, de les décrire et de bien les communiquer. Pour cela, l'enseignant doit maîtriser quelques notions statistiques.

Nous retenons ici deux principales notions statistiques fréquemment utilisées en contexte de classe : la moyenne et la variance d'une distribution.

1.1 Les indices statistiques d'une distribution

Lorsque, par exemple, l'enseignant administre un examen ou procède à la compilation des notes des élèves de sa classe, il obtient un ensemble de résultats. Ces résultats constituent alors une distribution de notes. Toute distribution est caractérisée statistiquement par deux types d'indices : un indice de tendance centrale et un indice de variabilité.

1.1.1 L'indice de tendance centrale

L'indice de tendance centrale exprime le centre, le point milieu et le centre de gravité de la distribution. Les indices de tendance centrale sont la moyenne, la médiane et le mode.

Le mode est rarement utilisé en éducation. Le mode d'une distribution est représenté par la note la plus fréquente. Par exemple, pour l'ensemble de notes suivant : 20, 30, 30, 40, 50, 10, 20, 30, 30, le mode est **30**.

La médiane aussi est assez peu utilisée en éducation. C'est le point milieu d'un ensemble de notes placées dans l'ordre croissant. Soit les notes suivantes dans l'ordre croissant : 40, 45, 50, 55, 60, 65, 85, 100. La médiane, qui se situe entre 55 et 60, est **55,5** (55 + 60 ÷ 2). Si nous avions eu sept notes au lieu de huit : 40, 45, 50, 55, 60, 65, 75, la médiane serait **55**.

En enseignement, c'est la moyenne qu'on utilise le plus couramment. Elle se calcule de la façon suivante.

$$\frac{\text{Somme des notes observées}}{\text{Nombre de notes}} = \text{Moyenne}$$

Exemple

Marc a administré un examen aux élèves de sa classe de la première secondaire, groupe 22 (*voir le tableau 12.1, page 158, pour les notes obtenues*). La moyenne du groupe est donc le résultat de la somme des notes de chaque élève divisée par le nombre d'élèves, c'est-à-dire, ici, 67,20.

Tableau 12.1 **Calcul de la moyenne et de l'écart type d'une distribution de notes**

Élèves	Notes	Moyenne du groupe	Écart entre les notes et la moyenne	Écart au carré
A	80	67,2	12,8	163,84
B	60	67,2	– 7,2	51,84
C	75	67,2	7,8	60,84
D	54	67,2	– 13,2	174,24
E	67	67,2	– 0,2	0,04
F	73	67,2	5,8	33,64
G	45	67,2	– 22,2	492,84
H	90	67,2	22,8	519,84
I	70	67,2	2,8	7,84
J	70	67,2	2,8	7,84
K	80	67,2	12,8	163,84
L	60	67,2	– 7,2	51,84
M	60	67,2	– 7,2	51,84
N	55	67,2	– 12,2	148,84
O	60	67,2	– 7,2	51,84
P	50	67,2	– 17,2	295,84
Q	50	67,2	– 17,2	295,84
R	75	67,2	7,8	60,84
S	80	67,2	12,8	163,84
T	90	67,2	22,8	519,84

Résumé des calculs

Moyenne de la distribution :

$$\frac{\text{Somme de l'ensemble des notes}}{\text{Nombre de notes}} = \frac{1344}{20} = 67{,}2$$

Somme des écarts au carré :

$$\text{Somme (note – moyenne)}^2 = 3317{,}20$$

Variance de la distribution :

$$\frac{\text{Somme (note – moyenne)}^2}{\text{Nombre de notes}} = \frac{3317{,}20}{20} = 165{,}86$$

Écart type :

$$\sqrt{\frac{\text{Somme (note – moyenne)}^2}{\text{Nombre de notes}}} = \sqrt{165{,}86} = 12{,}88$$

La moyenne de la distribution des notes des élèves de Marc est 67,2. La moyenne n'est pas un résultat. Elle est un indice qui permet de déterminer le point milieu de la distribution. Bien sûr, un élève pourrait obtenir une note égale à la moyenne. Cela n'enlève pas pour autant la caractéristique propre à la moyenne, c'est-à-dire qu'elle indique le point milieu de la distribution.

Le mode et la médiane sont des indices qui ne sont pas affectés par des notes extrêmes (fortes ou faibles). Par exemple, prenons l'ensemble des notes : 40, 45, 50, 55, 60, 65, 85. Remplaçons la première note (40) par 10 et la dernière note (85) par 99. La médiane ne change pas, elle demeure toujours 55.

La moyenne est l'indice qui utilise la valeur de toutes les notes d'une distribution. Tout changement à la valeur d'une note affecte la moyenne. C'est une des raisons qui expliquent son utilisation courante dans le contexte scolaire.

1.1.2 Les indices de variabilité

La moyenne d'une distribution ne suffit pas pour décrire une distribution. Dans la figure 12.1, nous observons deux distributions qui affichent une même moyenne de 50 tout en ayant une variabilité (dispersion autour de la moyenne) différente.

Il faut connaître l'indice de variabilité des notes par rapport au point milieu. Comment les notes sont-elles distribuées par rapport au point milieu ? L'indice de variabilité ou de dispersion nous permet de répondre à cette question.

Il existe plusieurs indices de variabilité. On peut citer la variance, l'écart type et l'étendue simple. L'écart type et l'étendue simple sont les indices les plus utilisés en enseignement.

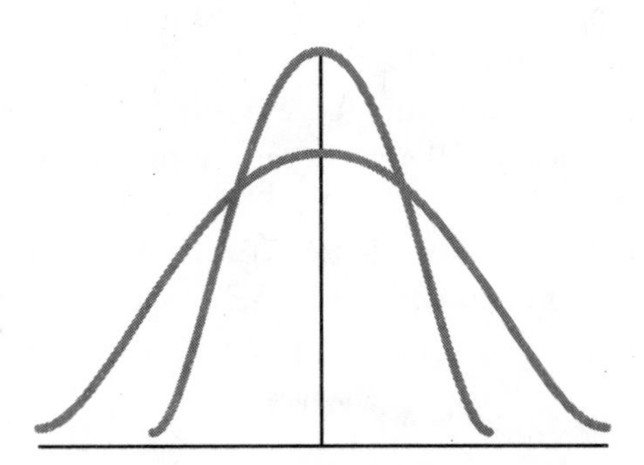

Figure 12.1 **Exemple de deux distributions ayant une moyenne de 50 et une variabilité différente**

1.2 L'écart type

On pourrait concevoir l'écart type comme une sorte de moyenne des écarts de chaque note par rapport à la moyenne générale. En fait, c'est un nombre qui indique la grandeur de chaque unité de surface occupée par un ensemble de notes de part et d'autre de la moyenne. Le tableau 12.1 (*voir la page 158*), qui propose une façon de calculer l'écart type, donne une idée plus claire de cet indice.

Pour calculer l'écart type, le tableau présente les opérations suivantes.

1) On calcule la moyenne de la distribution, soit 67,20.
2) On calcule l'écart de chaque note avec la moyenne, soit la note – la moyenne du groupe.
3) Il faut ensuite faire la moyenne des écarts. Or, la somme des écarts doit nécessairement donner zéro, la moyenne étant le point milieu qui partage la distribution en deux secteurs. Pour résoudre ce problème, on élève chaque écart au carré afin d'éliminer les signes négatifs. Alors : $(\text{note} - \text{moyenne})^2$.
4) Il est maintenant possible de calculer la somme des écarts et de déterminer leur moyenne, soit
$$\frac{(\text{Note} - \text{moyenne})^2}{\text{Nombre de notes}} = 3317{,}20 \div 20 = 165{,}86.$$
Notons que cette valeur (165,86) constitue la variance de la distribution.
5) Enfin, on trouve l'écart type, qui est la racine carrée de la variance, soit $\sqrt{165{,}86} = 12{,}88$.

L'écart type trouvé indique que, de part et d'autre de la moyenne, la grandeur de chaque unité de surface est de 12,88. Prenons l'ensemble des notes. Nous observons que les notes varient entre 45 et 90. La moyenne est 67,20 et l'écart type de 12,88. Ces données nous permettent de faire le schéma suivant (*voir la figure 12.2*).

À un écart type de la moyenne (côté positif), nous devons trouver des résultats plus grands que 67,20 et ne dépassant pas 80,08 (67,20 + 12,88 = 80,08).

À un écart type de la moyenne (côté négatif), nous trouvons des résultats plus petits que 67,20, mais supérieurs à 45,32 (67,20 – 12,88 = 54,32).

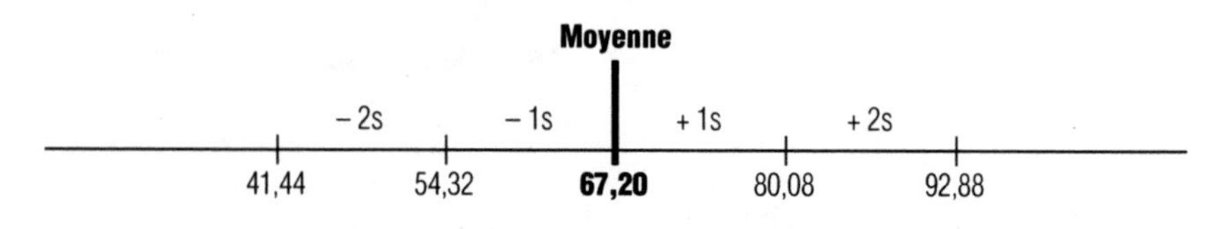

Figure 12.2 **Distribution des écarts types autour de la moyenne**

À deux écarts types de la moyenne (côté positif), nous trouvons des résultats plus grands que 80,08, mais ne dépassant pas 92,88 (67,20 + 12,88 + 12,88 = 92,96).

Ici, nous pouvons dire que la note 90 observée est à **plus** deux écarts types de la moyenne.

Du côté négatif, à deux écarts types de la moyenne, nous trouvons des résultats plus petits que 57,32, mais supérieurs à 41,44 (67,20 – (12,88 + 12,88) = 41,44).

Ici, nous pouvons dire que la note 45 observée est à **moins** deux écarts types de la moyenne.

Dans la pratique courante de la classe, la moyenne et l'écart type peuvent donner une meilleure compréhension des résultats observés d'une fois à l'autre dans une même classe. Par exemple, Anaïs, qui enseigne pour la première fois l'histoire en troisième secondaire, obtient les deux résultats suivants (*voir le tableau 12.2*).

Ces données indiqueraient que les résultats du deuxième bulletin sont plus intéressants comparativement à ceux du premier bulletin. En effet, le résultat du deuxième bulletin indique que les notes obtenues par l'ensemble des élèves se situent près de la moyenne.

La moyenne et l'écart type permettent aussi de comparer les résultats d'un élève dans plusieurs matières données.

Pour déterminer dans quelle matière le résultat de Pierre est le plus intéressant (*voir le tableau 12.3*), nous devons recourir aux calculs suivants.

Tableau 12.2 **Résultats d'Anaïs**

	Premier bulletin	Deuxième bulletin
Moyenne du groupe	65	65
Écart type du groupe	15	5

Tableau 12.3 **Résultats de Pierre**

	Français	Anglais	Mathématique
Note de Pierre	**70**	**55**	**60**
Moyenne du groupe	80	50	70
Écart type du groupe	5	10	10

Note de Pierre – Moyenne du groupe ÷ Écart type

Français	(70 – 80) ÷ 5 =	**–2**
Anglais	(55 – 50) ÷ 10 =	**+0,5**
Mathématique	(60 – 70) ÷ 10 =	**–1**

Nous remarquons que la note de Pierre en anglais se trouve à la moitié (+0,5) de la valeur de l'écart type du groupe (10) du côté positif. En français, la note de Pierre est à –2 écarts types de la moyenne du groupe. En mathématique, sa note est à –1 écart type de la moyenne du groupe. Donc, comparée aux résultats des élèves du groupe, la note de Pierre est plus intéressante en anglais que dans les autres matières. Cela illustre bien que les statistiques sont des outils qui fournissent des informations utiles. Cependant, lorsqu'il s'agit de prendre les décisions pédagogiques les plus appropriées, l'enseignant doit toujours user de son jugement.

1.3 L'étendue simple

Un autre indice de variabilité couramment utilisé en contexte de classe est l'étendue simple, qui représente la distance entre la plus forte note et la plus faible. Si la note la plus élevée est 90 et la plus faible, 40, l'étendue simple est 50 (90 – 40). L'enseignant a généralement recours à l'étendue simple pour avoir une appréciation globale de la façon dont ses notes sont réparties d'une fois à l'autre. Cet indice n'est pas approprié pour des calculs statistiques plus fins.

2 La transformation linéaire d'une distribution de notes

La transformation linéaire des notes est une opération que l'on observe dans le système éducatif surtout dans les ordres d'enseignement secondaire et universitaire. Au secondaire, le ministère de l'Éducation utilise cette technique pour faire la modération des notes provenant des commissions scolaires avant de les additionner aux résultats de l'examen qu'il administre à tous les élèves du Québec inscrits à un programme d'études donné. En effet, pour éviter des distorsions dans les notes fournies par les enseignants, notes qui ne sont pas du tout comparables d'une école à l'autre, le Ministère leur fait subir une transformation (modération, en langage ministériel) avant de les additionner à la note de son propre examen. Nous étudierons plus loin la méthode de transformation qu'utilise le MEQ. Certaines facultés universitaires utilisent aussi la transformation des notes pour choisir les étudiants qui demandent à être admis dans des programmes de formation contingentés.

Dans cet ouvrage, nous nous limitons à présenter la technique de base de la transformation linéaire des notes et la modération des notes telle qu'elle se pratique actuellement au MEQ.

2.1 La cote Z

La technique de base utilisée dans la transformation linéaire d'une distribution de notes est le calcul de la cote Z. Cette cote permet de transformer une distribution donnée en une autre distribution dont les paramètres seront :

- 0 pour la moyenne de la nouvelle distribution ;
- 1 pour l'écart type de cette nouvelle distribution.

Donc, la cote Z définit une distribution dont la moyenne est égale à zéro (0) et l'écart type, égal à 1.

La formule utilisée est la suivante.

Cote Z = Note observée – Moyenne du groupe ÷ Écart type du groupe

Nous avons déjà vu cette formule dans la comparaison des résultats de Pierre (*voir la page 161*).

Tableau 12.4 **Transformation d'une distribution initiale en une autre distribution : la cote Z**

Élèves	Notes	Cote Z
A	80	+0,99
B	60	–0,56
C	75	+0,61
D	54	–1,02
E	67	–0,02
F	73	+0,45
G	45	–1,72
H	90	+1,77
I	70	+0,22
J	70	+0,22
K	80	+0,99
L	60	–0,56
M	60	–0,56
N	55	–0,95
O	60	–0,56
P	50	–1,34
Q	50	–1,34
R	75	+0,61
S	80	+0,99
T	90	+1,77
Moyenne	**67,20**	**0,00**
Écart type	**13,21**	**1,00**

Dans le tableau 12.4 (*voir la page 163*), nous observons qu'en transformant la première distribution, qui avait une moyenne de 67,2 et un écart type de 12,88, nous obtenons une nouvelle distribution réduite ayant pour moyenne 0,00 et pour écart type, 1,00.

Cette technique de base va être utilisée comme moyen d'imposer une nouvelle distribution à toute distribution initialement observée. Dans un tel cas, on calcule une cote Z pour chaque note de la distribution observée. Au résultat trouvé, on ajoute les paramètres (moyenne et écart type) de la distribution voulue.

Par exemple, pour imposer une moyenne de 50 et un écart type de 10 à la distribution précédente, on peut procéder de la façon suivante.

Prenons la note de l'élève A, par exemple.
Cote Z de l'élève A : 0,99.
On multiplie cette cote par l'écart type voulu (soit 10).
On additionne la moyenne voulue (soit 50).

Tableau 12.5 **Transformation d'une distribution initiale en une distribution imposée**

Élèves	Notes initiales	Cote Z	Distribution voulue Moyenne : 50; écart type : 10	
A	**80**	+0,99	(+0,99 x 10) + 50 =	**59,90**
B	**60**	–0,56		**44,40**
C	**75**	+0,61		**56,10**
D	**54**	–1,02		**39,80**
E	**67**	–0,02		**49,80**
F	**73**	+0,45		**54,50**
G	**45**	–1,72		**32,80**
H	**90**	+1,77		**67,70**
I	**70**	+0,22		**52,20**
J	**70**	+0,22		**52,20**
K	**80**	+0,99		**59,90**
L	**60**	–0,56		**44,40**
M	**60**	–0,56		**44,40**
N	**55**	–0,95		**40,50**
O	**60**	–0,56		**44,40**
P	**50**	–1,34		**36,60**
Q	**50**	–1,34		**36,60**
R	**75**	+0,61		**56,10**
S	**80**	+0,99		**59,90**
T	**90**	+1,77		**67,70**
Moyenne	**67,20**	**0,00**		**50,0**
Écart type	**12,88**	**1,00**		**10,0**

La note de l'élève A passe alors de 80 à 59,90. En procédant ainsi pour toutes les notes initiales, nous obtiendrons une nouvelle distribution ayant une moyenne de 50 et un écart type de 10.

Le tableau 12.5 permet de constater la transformation d'un ensemble de notes dont la moyenne était de 67,20 et l'écart type de 12,88 en une nouvelle distribution à laquelle nous imposons une moyenne de 50,0 et un écart type de 10,0 (colonne de droite).

C'est cette forme de transformation qu'utilise le MEQ pour modérer les notes provenant des commissions scolaires avant de les additionner aux résultats de l'examen qu'il administre aux élèves. Il faut noter que cette transformation se fait par groupes d'élèves ayant passé un examen de certification du MEQ. Donc, la note fournie par l'enseignant pour un groupe d'élèves est modérée en fonction des résultats de ce même groupe d'élèves à l'examen officiel.

Mise en pratique

1. Une université veut admettre à son programme de littérature le meilleur étudiant parmi les quatre candidats ci-dessous. Elle vous demande d'étudier les dossiers de français de ces quatre étudiants et de lui recommander le nom de la personne à retenir.

   Le tableau 12.6 présente les informations inscrites au dossier des étudiants.

Tableau 12.6 **Étude de cas, programme de littérature**

Nom	Provenance	Note	Moyenne du groupe	Écart type du groupe
Jeanne	Cégep N	80 %	75	25
Pierre	Cégep X	80 %	75	10
Josée	Cégep Y	80 %	75	5
Christian	Cégep Z	80 %	74	4

2. La commission scolaire vient de vous remettre les listes d'analyse des résultats des élèves de votre classe à la suite de l'examen que vous avez administré à la fin de la deuxième étape de l'année. L'examen comportait quatre parties. Les listes vous donnent aussi des informations sur la distribution des résultats selon chaque partie de l'examen et pour chacun des deux groupes.

   Que vous apprennent ces données ? Comment les exploiteriez-vous pédagogiquement ?

Tableau 12.7 **Liste des résultats pour le groupe 10**

Intervalle	Fréquence relative	Fréquence cumulée	Pourcentage des résultats dans l'intervalle
			5 — 10 — 15 — 20 — 25
00-04	0	0	
05-09	0	0	
10-14	0	0	
15-19	0	0	
20-24	0	0	
25-29	0	0	
30-34	1	1	••••••••
35-39	1	2	••••••••
40-44	0	2	
45-49	0	2	
50-54	1	3	••••••••
55-59	1	4	••••••••
60-64	2	6	••••••••••••••••••
65-69	1	7	••••••••
70-74	0	7	
75-79	4	11	••••••••••••••••••••••••••••••••••
80-84	2	13	••••••••••••••••••
85-89	4	17	••••••••••••••••••••••••••••••••••
90-94	3	20	••••••••••••••••••••••••••
95-100	3	23	••••••••••••••••••••••••••

Moyenne = 76,0

Écart type = 17,7

1re partie de l'examen	Moyenne = 84;	écart type = 16,4
2e partie de l'examen	Moyenne = 59;	écart type = 28,6
3e partie de l'examen	Moyenne = 72;	écart type = 27,5
4e partie de l'examen	Moyenne = 78;	écart type = 18,8

Tableau 12.8 **Liste des résultats pour le groupe 15**

Intervalle	Fréquence relative	Fréquence cumulée	Pourcentage des résultats dans l'intervalle (5 – 10 – 15 – 20 – 25)
00-04	0	0	
05-09	0	0	
10-14	0	0	
15-19	0	0	
20-24	0	0	
25-29	0	0	
30-34	0	0	
35-39	0	0	
40-44	0	0	
45-49	0	0	
50-54	0	0	
55-59	2	2	••••••••••••••••••
60-64	3	5	•••••••••••••••••••••••••••••
65-69	2	7	••••••••••••••••••
70-74	4	11	•••••••••••••••••••••••••••••••••••••
75-79	2	13	••••••••••••••••••
80-84	4	17	•••••••••••••••••••••••••••••••••••••
85-89	3	20	••••••••••••••••••••••••••••••
90-94	1	21	••••••••••
95-100	1	22	••••••••••

Moyenne = 76,0
Écart type = 11,5

1re partie de l'examen	Moyenne = 82;	écart type = 13,5
2e partie de l'examen	Moyenne = 59;	écart type = 24,5
3e partie de l'examen	Moyenne = 72;	écart type = 17,0
4e partie de l'examen	Moyenne = 78;	écart type = 15,7

Chapitre 13

Le traitement des résultats de l'évaluation

Il est généralement admis que le but de l'évaluation est de recueillir des informations sur l'apprentissage réalisé par les élèves, sur les conditions et le contexte d'enseignement (méthode pédagogique et activités soumises aux élèves) devant susciter cet apprentissage, et ce, en vue de prendre les meilleures décisions possible.

Dans le milieu scolaire, l'évaluation se trouve au cœur de multiples décisions basées sur l'apprentissage réalisé par l'élève. La décision peut concerner l'aide immédiate à apporter à l'élève en situation d'apprentissage (rétroaction permettant à l'élève et à l'enseignant d'ajuster le tir). Elle peut aussi viser la mise sur pied de cours de rattrapage pour certains élèves qui semblent éprouver des difficultés d'apprentissage, ou de comités d'études de cas pour les élèves qui doivent être dirigés vers des ressources éducatives plus adaptées, ou encore la modification du contexte d'enseignement. Enfin, la décision peut porter sur la promotion, le classement et la certification des élèves.

1 L'évaluation informelle et l'évaluation formelle

1.1 L'évaluation informelle

Selon le type de décision à prendre, l'évaluation peut être faite de façon formelle ou informelle. La grande particularité de l'évaluation informelle, c'est qu'elle se déroule de façon naturelle, sans instrumentation particulière, et permet une intervention continue et rapide. Cette forme d'évaluation vise principalement à aider l'élève dans le processus même de son apprentissage et est généralement individuelle.

L'enseignant qui observe l'élève en train de faire une activité et qui intervient pour lui donner de la rétroaction sur la progression de son travail par rapport au résultat attendu, qui lui fournit certains indices pour arriver à la solution d'un problème, utilise l'évaluation informelle. Il arrive souvent que l'enseignant se serve des informations recueillies de cette façon auprès d'un élève pour donner des indices supplémentaires à toute la classe sur la démarche de solution du problème.

1.2 L'évaluation formelle

La formalisation de l'évaluation par l'utilisation d'instruments de mesure (examens, observations, récitations ou exercices) est généralement conseillée lorsqu'il s'agit de prendre des décisions importantes par rapport à un élève, à un groupe d'élèves, ou en vue de modifier le contexte d'enseignement.

Par exemple, l'enseignant qui demande aux élèves de faire certains exercices prévus dans le cahier de mathématique afin de constater s'ils ont bien compris les notions vues dans une leçon donnée utilise une évaluation formelle. Les exercices sont alors considérés comme l'instrument de mesure qui lui permet de recueillir les informations sur l'apprentissage réalisé par les élèves de sa classe.

L'orthopédagogue ou le psychoéducateur qui intervient dans la classe de l'enseignant titulaire pour recueillir, à l'aide d'une grille d'observation, des informations sur le comportement en classe d'un élève en particulier est un autre exemple de l'évaluation formelle.

Enfin, l'examen que la commission scolaire ou le ministère de l'Éducation fait passer aux élèves à une période donnée constitue aussi une évaluation formelle.

Comme on peut le constater, une des limites de l'évaluation formelle est qu'elle rend difficile la rétroaction continue et rapide. Par contre, elle rend plus fiables les décisions qui sont importantes par rapport à l'élève ou à la modification de l'enseignement.

1.2.1 Les modes d'expression des résultats de l'évaluation formelle

Expression des résultats à partir d'un profil Les résultats de l'évaluation formelle peuvent s'exprimer selon un profil lorsque l'habileté ou la compétence évaluée est décomposée en plusieurs dimensions qui ne peuvent pas nécessairement s'additionner, et que l'on veut conserver l'information obtenue pour chacune des dimensions.

Prenons l'exemple des résultats d'un élève, Jean, à la suite d'un examen de sciences humaines qui portait sur l'*habileté à utiliser une carte géographique*. Pour l'enseignant, cette habileté a été décomposée en :

- H1 : Repérer des informations sur une carte.
- H2 : Reproduire une partie de la carte.
- H3 : Interpréter les données de la carte.

Élève : Jean

Habileté mesurée : *Utiliser une carte géographique*

Dimensions de l'habileté	Notes
H1 : Repérer des informations sur une carte.	15 / 20
H2 : Reproduire une partie de la carte.	5 / 20
H3 : Interpréter les données de la carte.	18 / 20

Figure 13.1 **Expression des résultats à partir d'un profil**

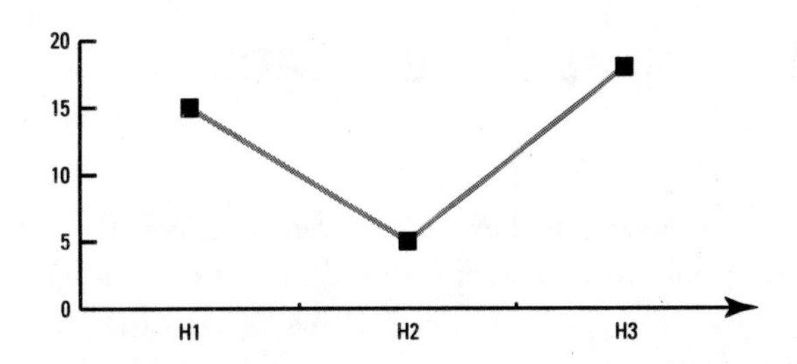

Figure 13.2 **Expression graphique des résultats à partir d'un profil**

Jean a obtenu 15 sur 20 pour la dimension H1, 5 sur 20 pour la dimension H2 et 18 sur 20 pour la dimension H3.

Dans la mesure où l'enseignant veut conserver les informations sur les différentes dimensions de l'habileté mesurée, il utilisera le profil de performance pour exprimer les résultats de Jean. Le profil pourra être communiqué de la façon ci-dessus (*voir la figure 13.1*). On peut également exprimer le profil par une représentation graphique, comme dans la figure 13.2.

Expression des résultats par une note unique Les résultats peuvent aussi s'exprimer par une note unique lorsque les aspects de l'apprentissage évalué (habileté ou compétence) sont considérés comme pouvant s'additionner et comme étant unidimensionnels. Cette forme d'expression est la plus couramment utilisée dans le milieu scolaire. L'exemple suivant permet d'illustrer une situation où l'on peut considérer que les aspects mesurés peuvent s'additionner pour exprimer l'habileté que l'on veut évaluer.

Pour évaluer l'habileté des élèves à *comparer les caractéristiques des vivants et des non-vivants,* dans un cours d'écologie de la première secondaire, l'enseignante décide de construire un examen portant sur les aspects suivants.

- A1 : Comparer les vivants et les non-vivants selon leur mode de vie.
- A2 : Comparer les vivants et les non-vivants selon leur mode de respiration.
- A3 : Comparer les vivants et les non-vivants selon certaines caractéristiques physiques.

Pour procéder à l'évaluation des élèves, l'enseignante construit un examen de 20 questions qu'elle distribue aux élèves. Le résultat de Josée est communiqué par une note finale de 15 sur 20 ou 75 sur 100.

On pourrait tout aussi bien décider d'utiliser une note unique pour exprimer l'ensemble des résultats observés pour Jean sur l'utilisation d'une carte géographique. Il faut souligner cependant que les dimensions retenues dans ce cas ne semblent pas constituer un ensemble qui porte à croire à leur additivité. Nous verrons plus loin les éléments à prendre en considération pour combiner des dimensions non nécessairement additives en une note unique.

2 Les types de résultats

Penchons-nous d'abord sur l'expression des données. Il existe dans la pratique courante une différence entre les données de type qualitatif ou descriptif, qui doivent toujours garder cette caractéristique, et les données de type quantitatif (données statistiquement transformables), qui semblent être le plus souvent employées dans les prises de décisions importantes en contexte scolaire. Entre ces deux pôles (qualitatif et quantitatif) se trouve une position médiane où des transformations sont effectuées pour passer du qualitatif au quantitatif, et vice versa. Précisons que ces deux modes de collecte d'informations ont leur place en éducation.

Par exemple, certaines commissions scolaires exigent que les enseignants du primaire expriment l'évaluation qu'ils font de l'élève sous une forme descriptive semblable à la suivante.

- 1 : Dépasse les exigences.
- 2 : Atteint les exigences sans aide.
- 3 : Atteint les exigences avec aide.
- 4 : N'atteint pas les exigences.

Ces expressions constituent alors des jugements que l'enseignant doit porter en regard de l'apprentissage réalisé par l'élève. Par contre, la plupart des parents ne se sentent pas bien informés par ce mode d'expression de l'évaluation, ce qui se traduit par certaines tensions entre les enseignants et les parents, au moment de la remise des bulletins surtout, et entre les parents et les dirigeants des écoles à l'occasion des réunions des comités d'école ou du conseil d'orientation de l'école.

Par ailleurs, on peut observer, dans ces mêmes commissions scolaires, que parce qu'au secondaire il faut attribuer des unités (la réussite d'un cours peut équivaloir à quatre unités, par exemple), et parce qu'un règlement ministériel précise que la note minimale de passage ou pour l'obtention d'unités est de 60 %, les enseignants utilisent le mode quantitatif.

Le problème se pose lorsqu'on veut procéder à la combinaison des résultats mesurant les différentes étapes d'une année scolaire (le bulletin scolaire, par exemple) ou différents aspects d'une même habileté dans le but d'arriver à une compréhension totale de la situation et de faire des comparaisons.

Prenons l'exemple d'un élève du primaire qui accuse des retards d'apprentissage considérés comme très inquiétants par l'enseignant. Son dossier est alors soumis à un comité d'études composé du directeur de l'école, de l'enseignant de l'élève, du psychologue, de l'orthopédagogue qui intervient auprès de l'élève et d'une personne qui exerce le rôle de conseillère en adaptation scolaire pour la commission scolaire.

Le tableau 13.1 présente les données du bulletin de l'élève en compréhension de lecture, troisième année du primaire. L'année scolaire étant divisée en quatre étapes, l'élève reçoit quatre bulletins (1re étape : en novembre ; 2e étape : en janvier ; 3e étape : en mars ; 4e étape : en juin). Le classement se fait après la troisième étape.

Tableau 13.1 **Exemple de résultats d'un élève présentant des retards d'apprentissage**

Objectifs	Première étape	Deuxième étape	Troisième étape
Objectif 1	Atteint les exigences sans aide.	Atteint les exigences avec aide.	Atteint les exigences sans aide.
Objectif 2	N'atteint pas les exigences.	Atteint les exigences sans aide.	Atteint les exigences avec aide.
Objectif 3	Atteint les exigences sans aide.	Atteint les exigences avec aide.	N'atteint pas les exigences.

Il semble difficile pour les membres du comité de prendre une décision unique à partir de ces résultats. Arriver à une conclusion consensuelle sur la difficulté d'apprentissage de l'élève sera certainement ardu. L'enseignant, jugeant que l'élève éprouve de sérieuses difficultés dans la compréhension de lecture, a demandé que celui-ci soit vu par l'orthopédagogue et le psychologue de l'école dans la perspective de le diriger vers une classe spéciale afin qu'il puisse bénéficier des ressources offertes ailleurs que dans sa classe. On saisit bien les différents jugements portés par l'enseignant à chacune des étapes. Ce qui ne semble pas évident, c'est le poids qu'il accorde à chacun des objectifs. Par ailleurs, les autres membres du comité, en particulier l'orthopédagogue et le psychologue, possèdent d'autres informations, de nature différente, qu'ils peuvent partager avec les membres du comité, ce qui facilite un peu les choses. En effet, ces personnes ont déjà étudié le cas de cet élève ; elles lui ont fait passer des tests et des entrevues, et ont préparé des rapports sur ses difficultés.

En se basant sur des résultats de recherches et des écrits se rapportant à ce sujet, Mehrens (1990) suggère que, après avoir exprimé des jugements par rapport à une habileté donnée, on devrait les quantifier si le but est de les combiner avec d'autres données en vue de prendre de meilleures décisions vis-à-vis d'un élève. Pour Mehrens, si l'on veut que l'évaluation soit équitable au moment de la combinaison des résultats, il ne faudrait pas laisser la pondération de chaque variable au jugement personnel de chaque évaluateur.

3 Les méthodes de combinaison

Gulliksen (1950) et Mehrens (1990) définissent trois méthodes de combinaison des données de l'évaluation : la *méthode conjonctive*, la *méthode disjonctive* et la *méthode compensatoire*.

La *méthode conjonctive* postule que l'élève doit réussir chacune des dimensions d'une habileté ou d'une compétence, ou chacun des objectifs d'un cours pour que sa réussite finale soit acceptée.

Dans la *méthode disjonctive*, l'élève peut ne réussir qu'une des dimensions pour que la réussite finale soit considérée comme acceptée. Prenons le cas d'un élève qui passerait une troisième fois un même examen, après deux échecs répétés. Il suffit qu'il réussisse ce dernier examen pour que sa réussite soit acceptée.

Les cours d'été, organisés par certaines commissions scolaires à l'intention des élèves qui ont échoué au cours de l'année, peuvent être considérés comme des exemples de l'utilisation de façon disjonctive des résultats obtenus par l'élève. Il suffit que l'élève réussisse l'examen qui fait suite au cours d'été pour être promu à la classe supérieure, malgré des échecs répétés durant les quatre étapes de l'année scolaire.

On peut aussi prendre comme exemple le cas où les objectifs d'un cours sont hiérarchisés selon leur complexité. Ainsi, l'élève qui réussit l'objectif le plus complexe est considéré comme ayant réussi l'ensemble des objectifs du cours ; les autres objectifs sont perçus comme des moyens permettant de cerner les difficultés de l'élève et de lui apporter l'aide nécessaire.

En ce qui concerne la *méthode compensatoire*, elle s'applique lorsqu'on accepte qu'une note élevée à une dimension puisse compenser pour une note faible à une autre dimension.

3.1 Le choix d'une méthode

Dans la pratique courante en classe, les enseignants sont plus enclins à utiliser les *méthodes conjonctive* et *compensatoire*. Lorsqu'on choisit d'utiliser la méthode compensatoire, on tient pour acquis ou du moins on admet implicitement que l'insuccès à une dimension de l'habileté ou de la compétence mesurée peut être compensé par un fort succès à une autre dimension. Mais ce n'est pas toujours le cas. Il n'y a qu'à penser aux frustrations d'un enseignant de français qui constate la faiblesse en grammaire de ses nouveaux élèves alors que leurs notes finales de l'année précédente indiquaient qu'ils avaient bien réussi leur cours de français.

Ainsi, à supposer que la forte réussite à une dimension compense effectivement pour la faible réussite à une autre dimension, quel serait le poids relatif de chacune des dimensions dans la définition du score final ou, en d'autres termes, quelle serait la contribution de chaque dimension à la manifestation de la compétence recherchée ?

Très souvent, dans la pratique courante, la détermination du poids à accorder aux dimensions d'une habileté ou d'une compétence est faite de façon intuitive.

Il ne s'agit pas ici de dire que de telles pratiques sont inadéquates ; nous voulons simplement attirer l'attention sur des décisions que l'enseignant doit prendre presque quotidiennement et qui portent sur des présupposés.

En fait, la méthode compensatoire suppose que les dimensions d'une habileté donnée (aspects observables de l'habileté) sont en corrélation les unes avec les autres par rapport à cette habileté recherchée. Puisque les corrélations ne sont pas nécessairement toutes de même valeur, chaque dimension apportera une contribution (pondération) plus ou moins élevée à l'habileté recherchée.

Bien sûr, lorsqu'on développe un instrument de mesure, l'habileté ou la compétence recherchée demeure une variable hypothétique (non observable directement). Alors, il faut prendre toutes les précautions nécessaires pour que les dimensions retenues soient vraiment des attributs critiques de l'habileté ou de la compétence que l'on veut mesurer et que la démarche de pondération des dimensions soit faite avec une meilleure compréhension des caractéristiques observables de l'habileté ou de la compétence que l'on veut mesurer. C'est dans ce contexte que l'apport des experts, l'analyse de tâches et les validations avant et après l'utilisation des résultats deviennent autant de moyens garantissant un meilleur choix de méthode.

3.2 Le contexte d'utilisation des méthodes de combinaison

Lorsque les résultats d'une évaluation doivent être résumés sous un seul score, soit pour des raisons administratives ou pour prendre des décisions importantes sur la poursuite de la carrière scolaire de l'élève, on a coutume de traiter les résultats obtenus par l'élève à chaque dimension d'une habileté pour obtenir un seul score. Cette pratique a ses avantages et ses inconvénients. Un de ses avantages est qu'elle garantit une meilleure fiabilité de la décision prise au regard d'un élève à partir de ce résultat. Comme le souligne Reckase (1995), les scores obtenus pour chaque pièce incluse dans un portfolio ne seront probablement pas très fiables s'il s'agit de prendre une décision importante par rapport à l'élève. Par contre, si les résultats observés pour chaque pièce sont additionnés pour arriver à un score final, il est possible d'atteindre un degré de fiabilité suffisant pour assurer une meilleure décision.

Cependant, cette pratique (score combiné) fait perdre beaucoup d'informations sur l'apprentissage réalisé par l'élève. Il devient alors difficile de connaître les forces et les faiblesses de l'élève, et de lui accorder l'aide pédagogique nécessaire. Il est donc suggéré de ne pas combiner les résultats, et d'opter plutôt pour un profil de l'élève à partir des différents scores.

4 La pondération

Dans les pratiques d'évaluation formelle, la pondération constitue une activité importante. Définissons donc ce qu'est la pondération et étudions les différents contextes dans lesquels les enseignants l'utilisent.

4.1 Une définition

La pondération consiste à accorder un poids donné à une ou à plusieurs caractéristiques observables d'un phénomène. On postule alors que chacune des caractéristiques observables ou mesurées apporte une contribution plus ou moins grande à l'explication du phénomène observé. Dans le cas d'un examen, la pondération consiste à attribuer à certaines réponses données un poids différent de celui accordé aux autres réponses observées. Par exemple, lorsqu'un enseignant décide que la question 1 vaut deux points et que la question 3 vaut quatre points, il exprime ainsi que la bonne réponse observée à la question 3 a un poids deux fois plus élevé que celui de la réponse à la question 1. Cela veut aussi dire que la réponse à la question 3 apporte une contribution deux fois plus grande que la réponse à la question 1 à l'explication de l'apprentissage que mesure l'examen.

Par ailleurs, quand un enseignant décide que les notes des travaux quotidiens compteront pour 60 % dans l'établissement du résultat final des élèves de sa classe, et l'examen final pour 40 %, il applique alors une pondération de ces deux types de résultats. Une telle situation exprime que les travaux quotidiens sont plus importants que l'examen final.

4.2 Les contextes d'utilisation de la pondération

La pondération peut s'utiliser dans les contextes suivants :

- dans le calcul des résultats d'un examen ;
- pendant l'observation d'une performance ;
- dans la communication de l'évaluation.

4.2.1 La pondération des questions d'un examen

Plusieurs raisons peuvent être invoquées pour justifier la nécessité de procéder à une pondération relative des questions d'un examen. D'abord, on peut croire que les questions posées dans l'examen varient en difficulté ou en complexité intellectuelle. La pondération permet alors de tenir compte de cette variation. Par exemple, dans un examen de français, une question qui mesurerait le vocabulaire pourrait avoir une pondération plus faible qu'une question portant sur la compréhension d'un passage d'un texte. Cette pondération se justifierait par la complexité intellectuelle de la question de compréhension. Rappelons qu'une question peut être difficile sans que la réponse fasse appel à un certain raisonnement intellectuel complexe.

On voit aussi le cas où la pondération est commandée par le nombre de questions choisies dans un examen pour mesurer un aspect donné de l'apprentissage. Si l'enseignant décide de poser quatre questions sur la technique de la multiplication des nombres entiers et deux questions sur la multiplication des nombres décimaux, deux cas de figure sont possibles. D'une part, on peut dire que la différence du nombre de questions (quatre et deux) constitue en soi une pondération. D'autre part, l'enseignant peut choisir d'attribuer des poids supplémentaires aux deux questions sur les nombres décimaux, alléguant que les nombres décimaux sont très importants en sixième année du primaire.

Dans l'ensemble de cette situation, la pondération est justifiée par l'importance relative des concepts mesurés, par l'ordre d'enseignement concerné (primaire ou secondaire) et par les caractéristiques des élèves (élèves forts ou faibles).

4.2.2 La pondération des dimensions d'une performance

Dans la mesure des performances complexes, nous avons vu que la réalisation efficace d'une performance est souvent traduite, concrètement, par une tâche qui fait appel à plusieurs dimensions de complexité variable. Si le résultat qui exprime la réalisation efficace de la tâche doit représenter fidèlement la complexité de la performance, il doit prendre en considération la complexité relative des différentes dimensions. La pondération devient donc nécessaire si l'on doit combiner les résultats obtenus pour chaque dimension afin d'arriver à un résultat unique. Le tableau 13.2 (*voir la page 178*) donne un exemple de pondération des dimensions d'une performance dans la résolution d'un problème de mathématique.

Tableau 13.2 **Exemple de pondération des dimensions d'une performance**

Grille d'appréciation de la performance en mathématique (résolution de problèmes)	
R1. Maîtrise du contenu mathématique (pondération 40 %)	
	× 10*
• Applique avec aisance et sans erreur les concepts, les opérations et les règles de transformation appropriés.	4
• Applique bien, mais en faisant des erreurs minimes, les concepts, les opérations et les règles de transformation étudiés.	3
• Fait plusieurs erreurs dans l'utilisation des concepts, des opérations et des règles de transformation étudiés.	2
• Fait de nombreuses erreurs d'application.	1
R2. Capacité à résoudre des problèmes (pondération 30 %)	
a) Utilisation efficace des informations (pondération 10 %)	**× 2,5**
• Repère avec précision toutes les informations pertinentes et fait ressortir des informations manquantes.	4
• Repère toutes les informations pertinentes.	3
• Repère la plupart des informations pertinentes.	2
• Omet plusieurs informations pertinentes.	1
b) Démarche de résolution du problème (pondération 20 %)	**× 5**
• Présente une solution efficace et très satisfaisante au problème.	4
• Présente une solution acceptable au problème.	3
• Présente une solution pas tout à fait acceptable.	2
• N'arrive pas à trouver de solution.	1
R3. Communication (pondération 20 %)	
	× 5
• Communique clairement et avec précision les résultats obtenus tout en utilisant efficacement le support de communication.	4
• Communique clairement les résultats obtenus en utilisant assez bien le support de communication.	3
• La communication des résultats n'est pas tout à fait claire.	2
• La communication des résultats est incompréhensible.	1

* Les mentions « × 10 », « × 2,5 » et « × 5 » indiquent que la performance observée (4, 3, 2 ou 1) pour la dimension concernée doit être multipliée par ce nombre afin de tenir compte de l'importance relative de cette dimension par rapport aux autres.

Comme nous l'avons mentionné, la pondération devient nécessaire lorsqu'on veut arriver à un résultat (note) unique qui reflète la contribution relative de chacune des dimensions de la performance. Si l'enseignant s'intéresse plutôt à la description de la performance spécifique de l'élève à chacune des dimensions, la pondération n'est pas nécessaire.

4.2.3 La pondération des résultats différents

Dans la pratique courante, les enseignants donnent plusieurs travaux ou exercices aux élèves durant une étape donnée. Ils administrent généralement un ou deux examens pour s'assurer que les élèves font une bonne synthèse des notions apprises et pour confirmer leur apprentissage. En général, ces différentes données sont combinées pour arriver à une note finale qui sera inscrite dans le bulletin de l'élève. Dans une telle situation, la pondération devient nécessaire. Prenons l'exemple où un enseignant a donné quatre travaux à ses élèves durant une étape et administré deux examens à la fin de l'étape. Il adopte la pondération suivante (*voir le tableau 13.3*).

On peut dire que les travaux sont d'importance égale et qu'ils contribuent dans l'ensemble à 60 % de la note finale. On observe que les examens contribuent à 40 % au résultat final. Il s'agit là d'une pondération relative des divers éléments nécessaires à l'expression d'une note finale. Cette démarche de pondération reflète certainement des considérations pédagogiques sérieuses qui justifient une telle répartition des poids. Le jugement professionnel de l'enseignant est ici mis à contribution pour une pondération juste et pertinente. Prenons l'exemple d'un élève qui obtiendrait une note finale de 80 sur 100 dans de telles circonstances. Cette note reflète-t-elle vraiment l'apprentissage réalisé par l'élève ? Les poids accordés aux différentes sources d'informations (travaux et examens) conservent-ils leur pertinence après coup ? Pour s'assurer de la justesse et de la pertinence de la pondération appliquée, l'enseignant doit analyser l'ensemble des résultats obtenus par les élèves avant de les rendre officiels.

Tableau 13.3 **Exemple de pondération relative**

Travail 1	15 %
Travail 2	15 %
Travail 3	15 %
Travail 4	15 %
Examen 1	**20 %**
Examen 2	**20 %**

4.3 Les problèmes sous-jacents à la pondération

Nous venons de voir les divers contextes d'application de la pondération et nous avons souligné que celle-ci devient nécessaire lorsqu'il s'agit de combiner des résultats différents pour arriver à un résultat unique exprimant l'apprentissage réalisé par l'élève. Cependant, cette façon de procéder n'est pas sans poser des problèmes quant à la validité et à la fiabilité des décisions que l'on peut prendre par rapport à l'élève sous la foi de la pondération. Analysons les problèmes potentiels qui peuvent en découler.

Pour analyser les problèmes liés à la pondération, nous distinguerons ici trois phases qui caractérisent le procédé de pondération. À la première phase, l'enseignant décide d'attribuer des poids soit à des questions d'examen, soit à des dimensions d'une performance, ou à des travaux et des examens. La pondération est alors *intentionnelle*. Des circonstances indépendantes de la volonté de l'enseignant peuvent affecter les résultats des élèves. Par exemple, la question posée s'est révélée plus difficile que ne le pensait l'enseignant. Une telle situation peut créer une pondération que nous nommons ici pondération *additionnelle*. Enfin, cette pondération additionnelle couplée à la pondération intentionnelle débouche sur une pondération *résultante*, phase de la pondération qui détermine en partie la note finale de l'élève.

En ce qui concerne la phase intentionnelle, rappelons que l'enseignant doit appuyer sa décision de pondérer sur des considérations pédagogiques sérieuses en tenant compte de :

- l'importance de la tâche par rapport à l'apprentissage attendu ;
- la complexité de la tâche ;
- la difficulté de cette tâche pour l'ensemble des élèves.

La pondération additionnelle est généralement observée après coup, comme on le voit dans les deux situations suivantes.

Situation 1 : Le cas d'un examen

Un enseignant décide que la question 5 vaut quatre points alors que la question 6 vaut deux points (pondération *intentionnelle*). Or, à la suite de l'examen, il s'aperçoit, contre toute attente, que la question 5 était deux fois plus difficile que la question 6. Dans la mesure où une telle difficulté n'avait pas été prise en compte dans la pondération intentionnelle, nous avons là une pondération *additionnelle*. Alors, le poids de la question 5 affectera grandement la note finale des élèves (pondération *résultante*).

Situation 2 : Le cas des travaux et des examens

Dans le cas de la combinaison de notes de sources différentes (travaux et examens, par exemple), la pondération additionnelle provient généralement de la variance de la distribution des notes tirées de chacune des sources. Soit l'exemple du tableau 13.4.

Tableau 13.4 **Exemple de pondération intentionnelle**

Travail 1	30 %
Travail 2	30 %
Examen	**40 %**

Lorsque l'enseignant analyse les résultats des élèves à ces trois sources, il observe les distributions suivantes.

Tableau 13.5 **Exemple de résultats d'élèves**

Travaux ou examen	Moyenne	Écart type
Travail 1	20 / 30	5
Travail 2	20 / 30	10
Examen	20 / 30	15

En observant les écarts types, nous constatons que le travail 2 semble avoir une pondération *additionnelle* deux fois plus élevée que le travail 1. Alors, la pondération *résultante* peut être très différente de la pondération intentionnelle.

En conclusion, nous avons montré que la pondération est un procédé complexe qui demande une certaine réflexion de la part de l'enseignant. Bien souvent, cette démarche est faite de façon expéditive et sans un retour réflexif sur les résultats obtenus par l'application de la pondération. Nous ne traitons pas ici des solutions possibles aux problèmes signalés parce qu'un tel traitement fait généralement appel à des considérations statistiques qui dépassent le cadre de cet ouvrage. Nous avons simplement voulu attirer l'attention sur la complexité de la pondération lorsqu'on veut obtenir des résultats qui permettent de prendre des décisions fiables et valides par rapport aux élèves.

Mise en pratique

En prévision du prochain bulletin, Paule doit compiler les notes qu'elle a recueillies durant les trois mois d'enseignement qui viennent de se terminer. Elle vous remet la liste de ses notes.

Élèves	D1 sur 60	D2 sur 50	D3 sur 10	Ex1 sur 40	Ex2 sur 50
1	25	45	8	38	45
2	30	40	6	35	35
3	40	30	5	30	45
4	50	45	4	25	35
5	45	45	9	25	30
6	20	35	2	25	40
7	15	30	3	20	40
8	40	49	5	20	30
9	45	35	6	20	20
10	50	30	6	20	20
11	40	30	8	25	25
12	30	40	8	30	15
13	10	40	9	30	15
14	10	20	5	30	10
15	15	20	5	20	35
16	20	25	5	20	35
17	15	20	3	10	45
18	30	20	3	10	40
19	35	35	3	10	30
20	40	25	3	15	10

Paule a noté le premier devoir (D1) sur 60, le deuxième (D2) sur 50 et le troisième (D3) sur 10. Elle a administré deux examens : la note maximale pour le premier examen (Ex1) est de 40 et pour le second (Ex2), 50.

Vous êtes en stage dans la classe de Paule et elle vous demande de procéder à la compilation des notes de sorte que chaque élève reçoive une seule note finale. Selon la politique de l'école, la note finale doit tenir compte à la fois des travaux ou devoirs et des examens ; le poids de ces derniers ne doit pas dépasser 50 %.

Faites donc une proposition à l'enseignante après avoir comparé votre proposition avec celles des autres collègues de la classe ou de votre équipe .

Chapitre 14

La notation comme moyen de communication de l'évaluation des apprentissages des élèves

La notation comme moyen de communication de l'évaluation des apprentissages des élèves a toujours fait l'objet de débats passionnés. Les nombreuses recherches menées dans ce domaine ne sont pas arrivées à fournir un éclairage assez précis pour permettre d'adopter une position assurée quant à la pertinence de la notation comme moyen de communication de l'évaluation, à la meilleure méthode de notation et au type de notation le mieux approprié.

Il n'en reste pas moins que ces recherches ont permis de mieux comprendre les divers arguments avancés pour ou contre la notation. Nous allons donc analyser dans les pages qui suivent la pertinence de la notation, les méthodes utilisées et les moyens couramment choisis pour exprimer la notation.

1 La pertinence de la notation

On reconnaît généralement que l'évaluation que fait l'enseignant de l'apprentissage réalisé par l'élève doit être communiquée à d'autres personnes ou instances intéressées par l'évaluation, surtout lorsque celle-ci conduit à des décisions qui engagent la carrière scolaire de l'élève. La façon idéale de communiquer l'évaluation serait une description détaillée des informations que l'enseignant possède sur les apprentissages de chaque élève et des conclusions qui l'ont amené à formuler son jugement. Une telle façon de faire s'apparenterait au rapport d'évaluation que formule le psychologue après une consultation clinique d'un client, ou un juge en prononçant un verdict.

On comprend tout de suite que cette pratique est, sinon impossible dans le contexte d'une classe, à tout le moins difficile et complexe. D'abord, le nombre d'élèves pour lesquels l'enseignant doit préparer un tel rapport et la gestion des rapports par l'institution scolaire sont autant de contraintes. Ensuite, des facteurs liés à la quantité d'informations à gérer par l'enseignant et aux variables idiosyncrasiques provenant de l'enseignant ou de l'élève risquent d'introduire des biais qui pourraient invalider les décisions prises à la suite de telles évaluations.

Le choix de résumer l'évaluation que fait l'enseignant des apprentissages de l'élève par une note chiffrée ou littérale facilite donc la communication de l'évaluation. Bien sûr, cette façon de communiquer l'évaluation présente alors d'autres problèmes. Le fait de résumer par un symbole un ensemble d'informations que l'enseignant possède sur les apprentissages réalisés par l'élève, informations souvent recueillies sur une très longue période, implique une perte d'information assez importante pour le récepteur de la communication.

Certaines institutions scolaires prévoient des rencontres entre les enseignants et les parents pour atténuer cette perte d'information et améliorer la communication de l'évaluation. Ces rencontres se déroulent généralement au moment de l'émission des bulletins scolaires. La pratique courante révèle que la majorité des parents semblent se fier beaucoup plus à la notation faite par l'enseignant qu'aux informations supplémentaires que celui-ci peut leur fournir. Les enseignants, de leur côté, trouvent que la notation qu'ils transmettent aux parents communique bien ce qu'ils avaient à leur dire. Ainsi, le système des rencontres avec les parents se trouve institutionnalisé par un horaire de rencontres individuelles où l'enseignant accorde généralement, sur une période d'environ trois heures, dix minutes aux parents qui désirent des informations supplémentaires.

Les chercheurs semblent être unanimes à dire que la notation n'est pas un élément essentiel à la qualité de l'enseignement et de l'apprentissage, mais reconnaissent aussi que les élèves veulent recevoir une confirmation officielle de leur apprentissage par la notation, ce que demandent aussi les parents (Frisbie et Waltman, 1992 ; Guskey, 1994). Les enseignants vérifient régulièrement ce que les élèves font en classe et les difficultés qu'ils éprouvent. Ils ont ainsi la possibilité d'intervenir rapidement pour aider l'élève à mieux apprendre et pour lui signaler les apprentissages qu'il fait. En fait, la notation n'est pas un besoin pour l'enseignant. C'est vraiment un moyen de communication de l'évaluation destiné d'abord aux parents. Bien souvent, l'obligation qu'a l'enseignant de communiquer, à des moments précis et à des personnes extérieures à la classe, le résultat de son évaluation par une notation lui pose problème. Il se voit alors à la fois comme la personne qui aide l'élève à apprendre et le juge qui rend un verdict sur les apprentissages qu'il a réalisés.

Il reste toutefois que l'évaluation que l'enseignant fait de l'élève doit être publiée. L'élève en a besoin comme moyen de reconnaissance officielle de ses apprentissages. Les parents veulent être informés des apprentissages que fait leur enfant à l'école. Les enseignants consultent souvent cette information lorsqu'ils reçoivent un nouvel élève dans leur classe. Les administrateurs scolaires utilisent la notation comme base aux décisions de classement et de promotion des élèves de leur école. Enfin, les employeurs recourent souvent à la notation pour prendre des décisions sur l'employabilité d'un candidat.

Par ailleurs, les études semblent démontrer que, quelle que soit la méthode utilisée, la communication de l'évaluation demeure profondément subjective. Plus la méthode utilisée est détaillée, plus la subjectivité dans la communication de l'évaluation est élevée (Ornstein, 1994). Il faut souligner cependant que toute subjectivité n'est pas nécessairement mauvaise. Les enseignants connaissent généralement bien leurs élèves, ils savent bien reconnaître les apprentissages réalisés et peuvent donner une bonne description de ce que chacun est capable de faire en classe. Cependant, lorsque la subjectivité de l'enseignant est tendancieuse, elle engendre des conséquences néfastes pour l'élève. On peut penser, par exemple, à l'enseignant pour qui la notation devient un moyen de punir l'élève qui dérange en classe. Quand la subjectivité porte sur une mauvaise utilisation de la notation, la communication devient invalide et perd son sens pour les parents, par exemple. C'est ce qui se produit quand l'enseignant utilise la note comme moyen de motiver l'élève à faire mieux et non comme un moyen de communiquer les apprentissages réalisés par l'élève.

2 Les méthodes de notation

La méthode adoptée pour la communication de l'évaluation est souvent définie par l'institution scolaire à partir d'une politique d'évaluation des apprentissages. La méthode retenue va souvent déterminer les moyens de communiquer l'évaluation. Une première méthode, la *méthode normative,* est largement utilisée. Elle consiste à communiquer aux parents la position de l'élève par rapport aux autres élèves de la classe. Cette méthode prend sa source dans des considérations statistiques liées à la courbe normale. En effet, elle postule que tout aspect mesuré ou observé (le rendement scolaire, l'habileté en mathématique ou en français) est distribué dans la population (les élèves concernés) selon les paramètres de la courbe normale.

Dans l'exemple de la figure 14.1, la courbe normale permet de distribuer la population selon les différents pourcentages suivants. On voit que 68 % de la population est concentrée autour de la moyenne. Environ 16,5 % (95 % – 68 / 2) des élèves se trouvent soit entre +1 et +2 écarts types de la moyenne (élèves forts), soit entre –1 et –2 écarts types de la moyenne (élèves faibles). Enfin, environ 2 % de la population se trouve entre +2 et +3 écarts types (élèves très forts) ou entre –2 et –3 écarts types (élèves très faibles).

En principe, en éducation, la notation qui repose explicitement sur la distribution normale utilise soit les stanines, soit les indices de quotient intellectuel que l'on voit dans certains tests d'intelligence.

L'échelle de stanines comprend neuf points, selon la distribution suivante.

- Stanine 1 : Très faibles.
- Stanine 2 : Faibles.
- Stanine 3 : Faibles.
- Stanine 4 : Moyens.
- Stanine 5 : Moyens.
- Stanine 6 : Moyens.
- Stanine 7 : Forts.
- Stanine 8 : Forts.
- Stanine 9 : Très forts.

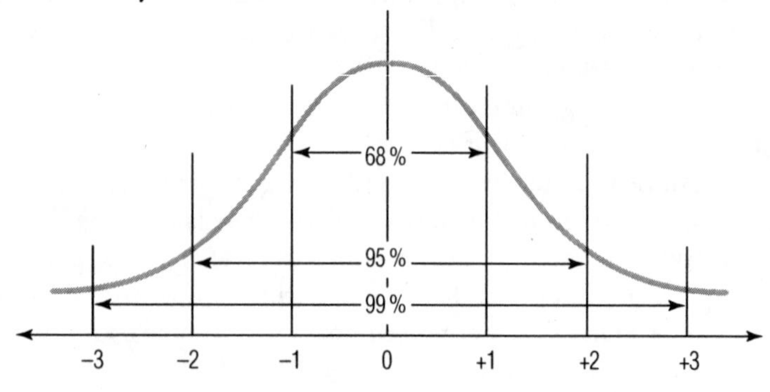

Figure 14.1 **Exemple de courbe normale**

Par exemple, un élève dont la notation indique « Stanine 9 » est considéré comme faisant partie des élèves les plus forts de la population par rapport au trait mesuré.

L'échelle ci-dessous repose sur les indices de quotient intellectuel.

Très faibles	55
Faibles	70
Moyens faibles	85
Moyens	100
Moyens forts	115
Forts	130
Très forts	145

Par exemple, si le psychologue de l'école vous dit que la petite Maude a obtenu un score de 130 au test d'intelligence, vous saurez alors que la fillette a une intelligence se situant très au-dessus de la moyenne.

Bien sûr, la courbe normale impose des postulats forts que l'on peut difficilement respecter dans le contexte d'une classe, et ce, pour plusieurs raisons. Par exemple, dans une classe de la première secondaire d'une école donnée, les élèves ne représentent pas nécessairement la population des élèves de la première secondaire puisqu'une certaine catégorisation a été préalablement faite : certains élèves ont été dirigés vers des classes spéciales et d'autres, vers des classes dites de voie allégée ou vers des classes de voie enrichie. De plus, et bien souvent, le nombre d'élèves concernés (30 ou 60) n'est pas suffisant pour évoquer la courbe normale dans l'interprétation des résultats.

Alors, dans la pratique courante de la classe, on utilise la moyenne du groupe comme critère pour situer chaque élève. L'enseignant établira comme élèves faibles ceux qui se situent en dessous de la moyenne et comme élèves forts, ceux qui se trouvent à une bonne distance au-dessus de la moyenne. Enfin, les élèves moyens sont ceux dont la note se trouve dans la moyenne. En général, cette notation s'exprime par une note chiffrée qui est accompagnée de la moyenne du groupe. Souvent, cette notation présente aussi le rang cinquième dans lequel se trouve l'élève. Ce rang cinquième est calculé de la façon suivante : le nombre d'élèves de la classe est divisé par 5, ce qui donne le nombre d'élèves dans chaque rang. Alors, les élèves qui ont obtenu les plus fortes notes sont dans le premier cinquième, ceux qui ont obtenu les plus faibles notes sont dans le dernier cinquième. Le tableau 14.1 en donne un exemple (*voir la page 188*).

Tableau 14.1 **Notes et rang cinquième**

Élèves	Notes en pourcentage	Rang cinquième
1	89	1 / 5
2	87	1 / 5
3	86	1 / 5
4	80	1 / 5
5	79	1 / 5
6	77	1 / 5
7	72	2 / 5
8	72	2 / 5
9	71	2 / 5
10	70	2 / 5
11	70	2 / 5
12	69	2 / 5
13	65	3 / 5
14	65	3 / 5
15	64	3 / 5
16	62	3 / 5
17	62	3 / 5
18	61	3 / 5
19	58	4 / 5
20	58	4 / 5
21	58	4 / 5
22	58	4 / 5
23	57	4 / 5
24	57	4 / 5
25	50	5 / 5
26	49	5 / 5
27	48	5 / 5
28	47	5 / 5
29	36	5 / 5
30	36	5 / 5
Moyenne	63,77	

Dans ce tableau, les six notes les plus fortes constituent le premier rang cinquième, les six notes les plus faibles, le dernier rang cinquième.

Il faut comprendre que la méthode dite normative n'impose pas nécessairement une notation en chiffres. On peut aussi utiliser une telle méthode dans la notation littérale. Par exemple, l'enseignant peut diviser le groupe-classe en quatre catégories selon la notation suivante.

- 1 : Excellent.
- 2 : Très bien.
- 3 : Passable.
- 4 : Médiocre.

Si cette notation sert à situer l'élève par rapport aux autres élèves du groupe-classe, l'enseignant applique la méthode normative.

Une autre méthode de notation consiste à communiquer l'évaluation en situant l'élève par rapport à l'apprentissage qu'il a fait sans tenir compte des autres élèves de la classe. Cette méthode se nomme *méthode descriptive.* Depuis quelques années au Québec, plusieurs commissions scolaires, principalement pour les classes du primaire, utilisent des bulletins descriptifs pour communiquer aux parents l'évaluation de l'apprentissage des élèves. Généralement, une telle notation décrit la performance de l'élève par rapport aux objectifs d'apprentissage visés pour une période donnée.

3 Les moyens de communication de l'évaluation

En contexte scolaire, le moyen le plus couramment utilisé pour la communication de l'évaluation demeure le bulletin scolaire. D'autres moyens de communication de l'évaluation existent dans les écoles notamment la fiche d'appréciation globale du comportement de l'élève, les rencontres avec les parents et le relevé de notes du MEQ.

3.1 La fiche d'appréciation globale et le bulletin scolaire

La *fiche d'appréciation globale* permet à l'enseignant d'informer les parents sur le comportement général de l'élève durant le premier mois de l'année scolaire. Elle touche moins l'évaluation du rendement scolaire de l'élève que la façon dont celui-ci s'adapte aux exigences scolaires et sociales de la classe. Généralement, la fiche est plutôt descriptive.

Le *bulletin scolaire,* quant à lui, est un document officiel délivré par la commission scolaire et qui s'adresse principalement aux parents de l'élève. Selon les règlements en vigueur au Québec, le bulletin scolaire doit contenir obligatoirement les renseignements suivants : le nom de l'élève, son code permanent (identification alphanumérique unique à l'élève), le nom et l'adresse de la personne responsable de l'élève, les résultats obtenus par l'élève pour chaque matière au moment de la délivrance du bulletin et la mention du nombre de jours d'absence de l'élève à l'école. Le ministère de l'Éducation du Québec impose aux écoles d'émettre à l'intention des parents cinq communications de l'évaluation, dont quatre sont des bulletins scolaires.

Il existe actuellement deux tendances dans la façon de communiquer les résultats scolaires. Au primaire, on trouve généralement une communication sous la forme d'une description des objectifs réussis ou non réussis par l'élève. Le bulletin porte alors le nom de bulletin descriptif. L'usage de ce bulletin au primaire suscite encore des réactions de la part de certains parents qui allèguent que le vocabulaire utilisé pour décrire l'apprentissage de leur enfant demeure incompréhensible. D'autres préfèrent une note en pourcentage à une échelle descriptive (par exemple : maîtrise très bien – maîtrise bien – maîtrise avec aide – ne maîtrise pas) qui, selon eux, les empêche de situer leur enfant par rapport aux autres élèves de la classe. Ainsi, on trouve, dans certaines commissions scolaires, l'emploi de la notation descriptive et de la notation en pourcentage dans un même bulletin du primaire.

Au secondaire, cependant, le bulletin généralement en usage utilise la notation en pourcentage pour communiquer le résultat scolaire de l'élève. Deux raisons expliquent une telle différence entre le primaire et le secondaire. D'abord, le diplôme de fin des études secondaires s'obtient par l'accumulation d'un nombre précis d'unités octroyées pour certaines matières spécifiées par le ministère de l'Éducation du Québec. Ensuite, pour avoir droit à ces unités, l'élève doit, selon les règlements ministériels, obtenir une note égale ou supérieure à 60 %. Par exemple, le français langue maternelle de la cinquième secondaire est une matière dont la réussite est obligatoire pour l'obtention du diplôme de fin des études secondaires. Cette matière vaut six unités et l'élève qui obtient une note finale de 60 % et plus se voit reconnaître les six unités. Toutefois, on voit aussi le bulletin descriptif au secondaire, utilisé principalement dans les classes où les programmes d'études ne sont pas comptés dans le calcul des unités nécessaires au diplôme de fin des études.

3.2 La rencontre avec les parents

Au moment de la remise du premier bulletin scolaire, les écoles invitent généralement les parents à venir rencontrer l'enseignant. Cette rencontre permet aux parents de discuter avec l'enseignant de la signification de l'évaluation qui a été résumée dans le bulletin scolaire de leur enfant. Il s'agit d'une entrevue individuelle entre l'enseignant et le parent ou le tuteur de l'élève. L'enseignant profite de cette occasion pour expliquer sa propre démarche d'évaluation, ses exigences et la façon dont il arrive au résultat de l'évaluation qui apparaît au bulletin. L'enseignant peut aussi profiter de la rencontre pour aider le parent à interpréter cette évaluation. À cette occasion, certains enseignants vont chercher la collaboration des parents dans le cas d'élèves dont les résultats sont faibles ou dont le comportement en classe pose problème.

Notre expérience dans le milieu scolaire nous permet de dire que la rencontre avec les parents à la remise du premier bulletin suscite beaucoup de stress chez bon nombre d'enseignants, particulièrement chez ceux du primaire. Les raisons pouvant expliquer cette situation diffèrent d'un enseignant à l'autre. Il reste toutefois que les parents, dans les écoles du Québec, par l'intermédiaire des instances qui les représentent, exercent une influence importante sur les activités d'enseignement. Cette influence permet de comprendre le rapport de communication entre l'enseignant et les parents dans le cadre d'une telle rencontre. Notre expérience nous permet de croire que les problèmes de communication sont souvent dus aux termes qu'utilise l'enseignant pour expliquer le faible résultat scolaire ou le comportement indésirable de l'élève. Dans la mesure où le parent peut se sentir jugé, la communication devient difficile. Le tableau 14.2 donne quelques exemples de termes à éviter et en propose d'autres pour les remplacer.

La rencontre avec les parents a pour but d'informer ces derniers de ce que leur enfant fait en classe. Pour plusieurs parents, c'est aussi l'occasion de connaître la perception que l'enseignant a de leur enfant ou le jugement qu'il porte sur lui. L'enseignant doit donc bien la préparer. Le choix des termes pour décrire les causes du résultat scolaire de l'élève et le comportement de ce dernier doit être bien pensé.

Tableau 14.2 **Exemple de formulations à éviter**

Termes à éviter	Termes suggérés
Paresseux.	Pourrait faire mieux.
Bête, imbécile.	Pourrait réfléchir un peu plus avant de donner une réponse.
Têtu.	Insiste trop pour faire accepter sa propre façon de voir ou accepte difficilement de considérer une autre façon de voir.
Élève moyen.	Pourrait fournir un peu plus d'effort, d'étude, etc.
Brouillon.	Pourrait présenter des travaux mieux soignés.
Fauteur de troubles, élève dérangeant.	Recherche souvent l'attention de façon inappropriée.
Rude, brutal.	Ne considère pas toujours les torts qu'il peut causer aux autres.
Retiré ; reste dans son coin.	Un peu trop réservé, solitaire.
Ne coopère pas.	Pourrait accepter de travailler en équipe.

3.3 Le relevé de notes du MEQ

C'est le ministère de l'Éducation du Québec qui délivre le diplôme de fin des études secondaires. À cette fin, le MEQ définit les programmes d'études pris en compte dans le calcul des unités nécessaires pour l'obtention du diplôme. Il définit aussi le partage des responsabilités entre lui et les commissions scolaires. Dans certains programmes d'études, l'évaluation des élèves est confiée aux commissions scolaires uniquement. Dans d'autres, elle est faite en partie par la commission scolaire et en partie par le MEQ. Dans ce cas, le résultat de l'élève est la combinaison à 50 % des notes obtenues à l'examen du MEQ et à 50 % des résultats inscrits au bulletin scolaire de l'élève pour le programme considéré. Rappelons que le MEQ modère statistiquement les résultats fournis par la commission scolaire avant de les ajouter aux résultats des élèves qui ont subi son examen.

Le relevé de notes du MEQ donne les renseignements suivants : le nom de l'élève, son code permanent, la matière examinée, le résultat final de l'élève (note de l'école + note de l'examen du MEQ), le rang centile de l'élève, les unités accordées pour la matière lorsque l'élève obtient une note égale ou supérieure à 60 % et les unités accumulées. Lorsque l'élève répond aux exigences de la certification (nombre d'unités accumulées et réussite des matières obligatoires), la mention « diplôme accordé » est inscrite sur le relevé de notes. Si l'élève n'a pas satisfait aux exigences, le relevé portera plutôt la mention « dossier partiel ».

Mise en pratique

Huguette, qui en est à sa première année d'enseignement au secondaire, a attribué une note de 70 % en français à Alex Landry, un élève pourtant très doué. Ce n'est pas du tout la note que les parents d'Alex s'attendaient à trouver dans son bulletin.

Le lundi matin, avant le début des cours, Huguette a reçu un appel du père d'Alex.

— Bonjour, monsieur Landry. Est-ce qu'Alex va bien ? demanda Huguette.

— Il va très bien, mais je me pose des questions sur sa note de français. Pourquoi n'a-t-il obtenu que 70 % ?

— Avez-vous posé la question à Alex ? Je suis sûre qu'il connaît la réponse, dit Huguette d'une voix douce.

— Il nous a dit que vous lui avez donné cette note parce qu'il n'avait pas fait ses devoirs.

— C'est exact. Dans mon cours, les devoirs font partie du travail obligatoire.

— Mais il obtient toujours des notes très élevées à ses examens sans faire ses devoirs, répliqua M. Landry d'un ton irrité. Pourquoi exigez-vous maintenant une telle chose ?

— Ce ne sont pas tous les élèves qui comprennent les nouveaux concepts en français aussi rapidement qu'Alex. En fait, la plupart des élèves ont besoin de tous les exercices possibles. Si je n'exigeais pas que mes élèves fassent des devoirs et si je n'en tenais pas compte dans l'attribution des notes, la plupart des élèves ne les feraient pas et ils apprendraient beaucoup moins bien.

— Je comprends cela. Mais pourquoi exiger d'Alex qu'il fasse des devoirs dont il n'a pas besoin ?

— Tous les élèves ont besoin de faire des devoirs. Cela fait partie de l'apprentissage de la discipline.

— Oubliez ça. Alex ne présente aucun problème de discipline. Par contre, continua le père, vous devez savoir à quel point les notes sont importantes pour les élèves du secondaire, particulièrement pour des élèves comme Alex. Il aura besoin de notes élevées pour être accepté dans un collège de son choix. Tous ses résultats d'examens démontrent que son travail mérite une note d'au moins 90 %. Sa note en français devrait refléter ce qu'il sait.

Huguette s'efforça de ne pas se fâcher ni de paraître sur la défensive en répondant à M. Landry.

— Je pense que vous ne comprenez pas ma position. Les devoirs font partie des exigences du cours. Alex mérite 70 % parce qu'il a choisi de ne pas faire ses devoirs.

— Dois-je donc comprendre que vous n'avez pas l'intention de changer sa note ?

Huguette sentait que M. Landry était frustré.

— Je ne crois pas qu'il mérite une note plus élevée. Quand il répondra aux exigences de la classe, il aura 90 %.

— Ma femme et moi voudrions vous rencontrer afin de parler de tout cela. Je vous demande de penser à ce que je viens de dire pour qu'on puisse discuter un peu. Quel moment vous irait ?

Huguette sentit que son interlocuteur n'accepterait pas un refus comme réponse et proposa donc qu'ils se rencontrent après les heures de classe.

Lorsque Huguette raccrocha, son cœur battait fort. Elle était une nouvelle enseignante et M. Landry était le premier parent qui l'appelait pour se plaindre. Depuis le début des classes, ses seuls contacts avec des parents avaient été ceux qu'elle-même avait établis avec les parents dont les enfants éprouvaient de petites difficultés d'apprentissage.

En se dirigeant vers sa classe, Huguette pensait à Alex. C'était un garçon agréable, facile en classe. À son précédent bulletin, il avait obtenu une moyenne de 98 % aux différents examens administrés. De plus, il était un excellent représentant de classe et participait très activement aux discussions en classe. De toute évidence, Alex aurait mérité 90 % en français, mais il ne remettait jamais ses devoirs, raison pour laquelle Huguette lui avait attribué 70 %.

D'ailleurs, Huguette avait bien expliqué ses normes d'évaluation à chacun des groupes au moment de la rentrée. Elle avait même noté ses exigences sur la liste des sujets qu'elle avait remise aux élèves, jugeant nécessaire de préciser explicitement ses attentes par rapport à la gestion de la classe. Elle ne voulait pas que les élèves aient de mauvaises surprises en recevant leurs notes.

Ainsi, elle avait fait comprendre clairement aux élèves qu'elle prenait les devoirs très au sérieux. Elle leur avait dit qu'elle leur donnerait des devoirs à faire chaque soir, sauf le vendredi, pour qu'ils mettent en pratique ce qu'ils apprendraient en classe. En faisant leurs devoirs chaque soir, avait-elle ajouté, ils comprendraient la matière et elle aurait une meilleure idée de ce qu'ils avaient retenu.

Plusieurs élèves avaient demandé si elle allait noter les devoirs. La première fois qu'on lui avait posé la question, Huguette avait hésité, puis avait répondu de la manière suivante :

— J'examinerai tous vos devoirs pour constater comment vous maîtrisez la matière. Vos devoirs me permettront de voir qui a besoin de s'exercer plus, et d'ajuster mon enseignement quant aux notions non maîtrisées. Ils m'indiqueront aussi si nous pouvons avancer plus rapidement que prévu. Mais je ne noterai pas chaque devoir. Cependant, je tiens à ce que vous fassiez les devoirs puisqu'ils vous aideront à réussir votre année scolaire. En fait de note, je n'utiliserai que le crochet ou le symbole moins. Si vous faites vos devoirs chaque soir, et même si les réponses ne sont pas toujours exactes, vous aurez un crochet. Si vous ne me remettez pas un devoir, ou n'en remettez qu'une partie, vous aurez un moins. Après quelques moins, votre note sera influencée. Je m'attends donc à ce que vous fassiez tous les devoirs.

En repensant à ces précisions qu'elle avait données aux élèves, Huguette se disait qu'elle avait eu raison d'accorder 70 % à Alex. Elle s'efforça tout au long de la journée de ne pas trop penser à la rencontre qu'elle allait avoir avec les Landry, mais pouvait difficilement s'en empêcher. Huguette n'avait rien dit à Alex à propos de la visite imminente de ses parents et lui, de son côté, n'avait pas fait allusion à l'appel de son père. Huguette se demandait s'il était au courant.

À la fin de la journée, lorsque la porte se referma sur le dernier élève, Huguette se mit à analyser de nouveau le point de vue des parents et, pour la première fois depuis qu'elle avait établi ses exigences, elle se demanda si celles-ci étaient pertinentes. Une incertitude agaçante grandissait en elle. Sa façon de voir les choses et son système d'évaluation formelle avaient-ils occulté l'attention qu'elle devait porter au contenu ? Ses exigences étaient-elles exagérées ? Durant sa conversation avec le père d'Alex, elle n'avait pas eu assez de temps pour bien expliquer sa position ni saisir tous les détails de la sienne.

En entendant un bruit à l'extérieur de la classe, Huguette inspira profondément, puis se dirigea vers la porte qui s'ouvrait...

1. Huguette fait face à une situation difficile annoncée par un appel téléphonique. Quelle est cette situation ?
2. a) Quel est le système d'évaluation d'Huguette ?
   b) Comment a-t-elle communiqué ses exigences à ses élèves ?
   c) Pourquoi un problème survient-il maintenant ?
3. Les devoirs devraient-ils faire partie de l'évaluation ?
4. Huguette devrait-elle changer la note d'Alex ?
5. Huguette pourrait-elle améliorer son système d'évaluation ?
6. Que devrait faire Huguette durant sa rencontre avec les parents d'Alex ?

Chapitre 15

Considérations éthiques en évaluation des apprentissages

De nos jours, la formation des maîtres s'oriente vers une professionnalisation de la fonction enseignante. Les recherches sur les professions de Harris (1993) et de Schön (1983) nous portent à considérer l'enseignant comme un professionnel qui fournit des services éducatifs à des élèves et qui doit prendre des décisions fréquentes dans un contexte social instable et incertain. Selon ces auteurs, les problèmes qu'éprouve un professionnel sont uniques, ambigus et soulèvent des conflits de valeur. Alors, l'enseignant, en tant que professionnel, fait face à des situations qui l'amènent à faire des choix parmi plusieurs possibilités. Plus ses décisions seront basées sur des considérations éthiques pertinentes, plus ses jugements seront nuancés, fiables et ouverts à la discussion. Comme le souligne Ozar (1994), les professions qui ne peuvent pas articuler solidement le contenu éthique des obligations professionnelles de leurs membres et les professionnels qui ne peuvent pas expliquer le processus de raisonnement sur lequel ils fondent leur agir dans des situations données peuvent difficilement susciter la confiance du public qu'ils desservent.

Dans le contexte de l'enseignement, nous entendons par considérations éthiques la prise en compte par l'enseignant du bien-être moral et physique de l'élève, de ses droits et de ses devoirs, lorsque sont prises des décisions qui concernent directement ou indirectement l'élève. Les considérations éthiques portent également sur les obligations de l'enseignant par rapport à la profession.

Parmi les multiples activités d'enseignement, c'est l'évaluation des apprentissages des élèves qui risque d'entraîner le plus de décisions lourdes de conséquences pour les élèves. En effet, l'enseignant doit, à partir de cette évaluation, prendre de nombreuses décisions qui ont des conséquences sociales sur l'élève, sur sa famille et sur son entourage. On peut citer, à titre d'exemple, des décisions concernant le redoublement d'une année scolaire, l'acheminement de l'élève vers une classe spéciale, son renvoi définitif de l'école ou son transfert dans une autre école. Bien sûr, l'enseignant n'est pas toujours seul pour prendre de telles décisions et, dans plusieurs cas, ce n'est pas lui qui en porte la responsabilité. Cependant, ces décisions sont généralement prises à partir des données fournies par l'enseignant ou des recommandations qu'il a faites. Il faut souligner aussi que l'enseignant, dans le contexte de la pratique professionnelle que représente l'école, est entouré d'autres types de professionnels qui interviennent dans la prise de décisions : les psychologues scolaires, les orthopédagogues et les psychoéducateurs, pour n'en citer que quelques-uns. Certes, cet entourage aide l'enseignant à faire face à ses obligations professionnelles, mais il peut également occasionner des conflits de valeur. Raison de plus pour que l'enseignant fonde ses gestes professionnels en matière d'évaluation des apprentissages sur des considérations éthiques solides et reconnues.

Nous aborderons, dans les pages qui suivent, deux aspects importants : des principes spécifiques aux pratiques d'évaluation et d'autres qui fondent l'agir professionnel en général.

1 Principes guidant l'action en matière d'évaluation des apprentissages

Plusieurs groupes se sont penchés sur la mise en place des principes ou des règles déontologiques qui devraient guider les gestes professionnels de l'enseignant dans la conduite de l'évaluation des apprentissages, dont le National Council on Measurement in Education, aux États-Unis, qui a publié un document portant sur ce sujet. Au Canada aussi, un groupe de spécialistes en évaluation a publié en 1994 un document[1] qui présente des principes adoptés par ses membres en matière d'évaluation des apprentissages.

1. *Principes d'équité relatifs aux pratiques d'évaluation des apprentissages scolaires au Canada,* Edmonton (Alberta), Center for Research in Applied Measurement and Evaluation, 1994.

Dans ce chapitre, nous avons retenu les principes énoncés par ces spécialistes en les accompagnant, dans la mesure du possible, des précisions données par les auteurs.

1.1 Les principes et quelques explications

1. *Les méthodes d'évaluation devraient être adaptées aux buts de l'évaluation et à son contexte général.*
   On veut signifier ici que les stratégies et les techniques utilisées par l'enseignant pour obtenir des informations à des fins d'évaluation devraient donner lieu à des inférences valides sur l'apprentissage de l'élève en éliminant les jugements erronés. Par conséquent, il ne faut jamais perdre de vue les buts de l'évaluation et surtout le contexte : la pertinence et la justesse de la tâche, le temps disponible et les ressources nécessaires à l'élève.

2. *On devrait offrir à tous les élèves suffisamment d'occasions de manifester les connaissances, les habiletés, les attitudes et les comportements qui font l'objet de l'évaluation.*
   Les élèves devraient être informés des aspects qui seront touchés par l'évaluation, du type d'instrument de mesure qui sera utilisé, de la façon dont les résultats seront obtenus et de l'utilisation qui en sera faite. De plus, l'enseignant devrait s'assurer que la démarche adoptée motive l'élève à donner le meilleur de lui-même et qu'elle n'est ni biaisée ni affectée par des circonstances qui porteraient préjudice au rendement de l'élève.

3. *Les procédés utilisés pour juger ou pour noter la performance des élèves devraient être adaptés aux méthodes d'évaluation et appliqués de façon systématique.*
   Il faudra veiller à ce que les résultats ne soient pas faussés par des facteurs étrangers au but de l'évaluation.

   Les procédés de notation des élèves devraient être soigneusement élaborés pour assurer la validité et la fidélité de la démarche évaluative.

   Les commentaires qui font partie d'une notation devraient s'appuyer sur les réponses de l'élève et être présentés de façon compréhensible et instructive.

   Tout changement apporté pendant la notation devrait viser à rectifier un problème évident du procédé initial. Le procédé de notation modifié devrait être appliqué aux réponses notées précédemment.

   Au début de chaque année scolaire, il faudrait expliquer aux élèves la procédure d'appel d'une évaluation.

4. *Les procédés pour faire la synthèse et l'interprétation des résultats devraient mener à des représentations justes et instructives de la performance d'un élève en relation avec les buts et les objectifs d'apprentissage pour la période visée.*

La notation devrait reposer sur plusieurs résultats afin de s'assurer que les commentaires de synthèse et les notes représentent adéquatement les diverses facettes d'un domaine d'apprentissage.

Il conviendrait d'être prudent quand on combine divers types de résultats en vue d'une synthèse. Dans la mesure du possible, le rendement, les efforts, la participation et les autres comportements doivent être notés séparément.

5. *Les résultats sur lesquels le commentaire de synthèse ou la note sont fondés devraient être combinés selon l'importance accordée ou la pondération initiale.*
   Toute interprétation des résultats devrait tenir compte des limites de la méthode d'évaluation, des problèmes liés à la collecte des informations et à la notation, ainsi que des limites du cadre de référence utilisé.

6. *Les rapports d'évaluation devraient être clairs, précis et avoir une valeur pratique pour les personnes à qui ils s'adressent.*
   Les rapports écrits ou oraux et les bulletins devraient contenir la description des buts et des objectifs d'apprentissage visés par les évaluations.

   Les rapports devraient être complets et décrire les points forts et les points faibles des élèves, afin qu'on puisse construire à partir des premiers et remédier aux seconds.

   Dans le cadre de la transmission des conclusions de l'évaluation, il faudrait prévoir des rencontres entre les enseignants et les parents ou les tuteurs. S'il y a lieu, les élèves devraient participer à ces rencontres.

   L'accès aux informations liées à l'évaluation des élèves devrait être régi par une politique écrite conforme aux lois en vigueur, aux principes essentiels d'équité et aux droits de la personne.

2 Quelques principes généraux régissant l'agir professionnel en enseignement

De par sa fonction, l'enseignant se voit confier par la société la responsabilité d'agir auprès des élèves qui lui sont confiés comme le ferait « tout bon parent », en donnant l'exemple des valeurs morales universellement admises, telles que l'honnêteté, le respect de la personne et des biens. En ce sens, tout geste professionnel fait par un enseignant, qui contreviendrait aux règles éthiques générales, porterait préjudice à la profession, particulièrement en la discréditant auprès du public. Dans le cadre des pratiques d'évaluation, nous pouvons retenir les éléments suivants comme quelques-uns des principes généraux pouvant guider l'agir professionnel de l'enseignant.

L'élève a droit à la protection de l'adulte et à la confidentialité des renseignements personnels qui le concernent. L'élève a droit à un traitement équitable et ne doit pas subir de préjudice à cause de son origine sociale, de son sexe ou de son appartenance à un groupe social, culturel ou religieux donné. L'élève et ses parents ont droit à l'information sur toute décision qui les touche directement.

L'enseignant a l'obligation professionnelle de respecter et d'appliquer les règles de fonctionnement (les règlements, les politiques et les procédures) édictées par l'institution. Il a aussi l'obligation de s'assurer que ses gestes professionnels ne portent pas préjudice à la profession.

3 Considérations éthiques à partir d'un exemple de geste professionnel

Depuis quelques années, les responsables de l'éducation se préoccupent des moyens à mettre en place pour mesurer l'efficacité du système éducatif compte tenu des sommes investies par l'État pour l'éducation. Parmi les moyens retenus, les résultats des élèves aux examens nationaux semblent constituer des indicateurs intéressants pour l'évaluation de l'efficacité de la formation. Au Québec, par exemple, le ministère de l'Éducation publie annuellement, pour chaque commission scolaire, des statistiques sur le taux de réussite des élèves aux différents examens nationaux. Ces publications ont eu l'effet d'amener le public à faire des comparaisons entre les commissions scolaires et entre les écoles, les institutions jugées les plus « performantes » étant celles dont le taux de réussite aux examens nationaux est le plus élevé. Une forte pression s'exerce donc sur les écoles et, par voie de conséquence, sur les enseignants pour que les élèves réussissent mieux aux examens nationaux. On observe alors dans les milieux scolaires plusieurs pratiques qui méritent l'attention lorsqu'on s'intéresse aux considérations éthiques.

Par exemple, dans certains pays, pour éviter d'avoir des taux d'échec élevés aux examens nationaux, des écoles retirent de leurs listes d'élèves ceux dont la probabilité de réussir est très faible. Ou encore, des enseignants consacrent une bonne partie de leur temps d'enseignement à préparer les élèves à l'aide d'anciens examens nationaux. Si, au Québec, le retrait des élèves de la liste des candidats aux examens nationaux fait l'objet d'un contrôle de la part du ministère, l'utilisation d'examens antérieurs en classe est devenue monnaie courante depuis les années 1970. Elle est en fait si courante que rares sont les enseignants qui réfléchissent sur les problèmes éthiques sous-jacents. Il y a une trentaine d'années, les écoles maîtrisaient de façon plus ou moins efficace les activités de préparation des élèves aux examens, se fondant sur le principe que les périodes d'enseignement doivent être consacrées uniquement à l'enseignement et que les exercices avec d'anciens examens limitent sérieusement l'enseignement que les élèves sont en droit de recevoir. Avec la publication des statistiques annuelles sur la performance des écoles, ces exercices semblent maintenant constituer une pratique acceptable. Analysons cette pratique à la lumière des considérations éthiques.

Pour cerner les considérations éthiques qui devraient encadrer la préparation des élèves aux examens nationaux à l'aide d'anciens examens, il faut poser la question de l'utilité d'un examen national et de ses fondements.

L'examen est avant tout un instrument de mesure qui informe sur le degré de réalisation des apprentissages attendus des élèves à la suite de l'enseignement reçu. On peut dire, par inférence, qu'un élève qui obtient un résultat de 80 %, par exemple, à un examen portant sur le programme de français de la cinquième secondaire a réalisé un apprentissage équivalant à 80 % du domaine d'études touché par l'examen. Il y a donc une étroite relation entre le résultat d'un élève à l'examen et l'apprentissage réalisé par cet élève. En d'autres termes, la note obtenue par l'élève devrait refléter l'apprentissage qu'il a fait.

Nous pouvons donc établir le premier principe éthique suivant : *la préparation d'un élève à un examen ne devrait pas avoir comme conséquence l'augmentation du résultat de l'élève alors que l'apprentissage réel de l'élève n'a pas augmenté.*

Par ailleurs, le rôle principal de l'enseignant est d'enseigner un contenu qui est généralement défini par le programme d'études. L'enseignant a donc l'obligation professionnelle de toucher à tous les aspects du programme et que les apprentissages réalisés par les élèves reflètent l'ensemble du programme. Enfin, dans certains milieux d'éducation, il peut exister des règlements assurant la sécurité des examens.

De ces observations découle un second principe éthique : *l'enseignant ne doit pas violer, détourner les règles qui régissent les gestes professionnels.* Le non-respect de ce principe porterait préjudice à la profession.

Nous venons de voir qu'au chapitre de l'évaluation plusieurs considérations éthiques entrent en ligne de compte dans les décisions et les gestes professionnels de l'enseignant. Il ne s'agit pas pour nous de déterminer ce qui est bon ou mauvais. Le but ici était plutôt de faire la lumière sur des situations qui impliquent, pour l'enseignant, des considérations éthiques importantes.

Mise en pratique

Première étude de cas

Claudia enseigne la géographie aux élèves de la troisième secondaire depuis onze ans à l'école Le Castor, où elle travaille depuis près de quinze ans. Elle a l'habitude d'enseigner à des élèves de races et d'ethnies différentes depuis longtemps. Elle se considère comme une personne impartiale lorsque vient le moment de corriger les travaux ou de préparer les bulletins. Aujourd'hui, cependant, pour la première fois, un élève l'a accusée de favoritisme envers un autre élève, à son détriment, et ce, à cause de son origine ethnique. Bien sûr, les élèves se plaignent parfois de leurs notes, mais Claudia est toujours prête à reconsidérer son évaluation. Jusqu'à ce jour, aucun élève ne l'a accusée d'être raciste. Le cas de Josué constitue donc un précédent pour elle.

En effet, Claudia vient de terminer une conversation houleuse avec le jeune homme qui, au lendemain de la remise des bulletins de la deuxième étape du calendrier scolaire, est venu discuter de sa note. Il n'appréciait pas du tout avoir obtenu 60. Claudia lui a expliqué que c'est ce que son travail méritait.

— Le travail de Stéphane aussi ne méritait que 60, mais il a obtenu 80, a-t-il alors rétorqué. Tu as donné 80 à un élève blanc qui a eu les mêmes résultats que moi aux travaux et aux examens, mais seulement 60 à moi. Et pourtant j'ai même fait plus de devoirs que Stéphane. Ce n'est pas juste.

Claudia a alors suggéré qu'ils en reparlent plus longuement le lendemain matin, avant le début des classes.

Josué, après avoir acquiescé, a quitté la pièce en claquant la porte derrière lui. Claudia, songeuse, réfléchit à l'incident.

À chaque étape de l'année scolaire, Claudia base sa notation pour le bulletin sur les éléments suivants :

- des examens (normalement trois ou quatre, selon le groupe) ;
- des devoirs (deux par semaine) ;
- un projet ;
- la participation aux discussions en classe (les discussions portant sur des textes tirés du manuel de l'élève).

Les examens qu'elle administre aux groupes de voie allégée, auxquels appartiennent Josué et Stéphane, comprennent un questionnaire sur des définitions, des questions à choix multiple et d'autres à réponses courtes. Dans ces classes, les élèves choisissent des projets parmi les suivants : écrire un essai, construire une maquette en relation avec un sujet étudié ou présenter les résultats d'une recherche devant la classe.

Claudia se questionne sur la pertinence des propos de Josué. Elle consulte la liste où elle a compilé les notes pour le bulletin. Elle s'aperçoit que Josué pourrait avoir raison. Ni lui ni Stéphane n'avaient particulièrement bien réussi leurs travaux pendant l'étape, obtenant tous deux surtout des notes de 70, et quelques notes de 50. Ni l'un ni l'autre ne participaient aux discussions en classe (à moins qu'elle ne les y invite spécifiquement). Cependant, si elle a attribué une meilleure note à Stéphane, c'est en raison de l'effort qu'il a fourni et non pas à cause de la couleur de sa peau. Stéphane, un élève éprouvant des difficultés d'apprentissage et qui a été intégré dans une classe ordinaire, a fait de sérieux efforts au cours de l'étape. Il fallait bien le récompenser pour cette application.

Si, malgré ses difficultés d'apprentissage, Stéphane est dans une classe de voie allégée, c'est parce que l'enseignante de la classe-ressource qu'il fréquentait, Anne Létourneau, a recommandé ce classement. Elle croit que Stéphane a besoin d'un environnement plus stimulant et plus motivant; le psychologue de l'école a appuyé Anne en disant que Stéphane avait besoin de renforcement et de défis. Anne et Claudia se connaissent depuis longtemps. Claudia admire le dévouement d'Anne et sa ténacité auprès de ses élèves de classe spéciale. Tout le monde à l'école sait qu'Anne travaille fort pour que ses élèves puissent être intégrés dans les classes ordinaires. Elle s'assure aussi que les enseignants de ces classes sont des personnes à l'écoute des besoins des élèves, et qu'ils sont conscients des efforts fournis par ces derniers. Ce n'est pas facile de convaincre les enseignants d'une classe ordinaire de travailler avec des élèves venant d'une classe spéciale.

Quand Anne a demandé que Claudia soit l'enseignante de Stéphane, elle a aidé ce dernier à se préparer avant qu'il se joigne à sa nouvelle classe. Claudia était consciente que Stéphane ne savait pas très bien lire et qu'il ne participerait pas facilement aux discussions en classe. Claudia et Anne discutent régulièrement des progrès de Stéphane et des exigences de son enseignante. Pour elles, la note 60 qu'a obtenue Stéphane à la fin de la première étape constituait un bon signe des efforts qu'il fournissait.

De plus, selon Claudia, l'attitude de Stéphane en classe est positive. Il a appris à démontrer des « comportements qui ne dérangent pas l'enseignante ». Il semble attentif, il essaie de prendre des notes, il a toujours avec lui son manuel, un cahier et un crayon, et il ne perturbe jamais le déroulement de la classe. Pour ce qui est de Josué, la situation est différente : il est souvent dans la lune pendant les discussions, il apporte rarement son matériel en classe et il parle souvent à ses copains pendant que Claudia explique quelque chose.

Néanmoins, les notes obtenues par les deux élèves durant la deuxième étape sont presque identiques.

Claudia se demande ce qu'elle dira à Josué le lendemain. Elle sait, d'autre part, qu'elle devra trouver une façon d'éviter qu'une telle situation se reproduise lorsqu'elle accueillera dans sa classe d'autres élèves ayant des difficultés d'apprentissage. Elle demeure cependant convaincue que les élèves doivent être récompensés lorsqu'ils font des efforts et qu'ils s'améliorent.

1. a) Quel est le problème décrit dans cette étude de cas ?
   b) Comment Claudia devrait-elle le résoudre ?
2. a) Josué a-t-il une raison légitime de se plaindre ?
   b) Le système d'évaluation de Claudia est-il équitable ? Précisez votre réponse.
3. Comment Claudia devrait-elle se préparer pour sa rencontre avec Josué ? Quel résultat doit-elle viser ? Pour elle-même ? Pour Josué ?
4. Le système d'évaluation des élèves éprouvant des difficultés d'apprentissage et qui sont intégrés dans une classe ordinaire devrait-il être différent de celui des autres élèves ?

Vous devez appuyer les positions que vous adoptez sur des principes éthiques étudiés dans ce chapitre, ou sur d'autres considérations pouvant déborder le cadre du chapitre.

Seconde étude de cas

Alain enseigne en sixième année du primaire. Chaque année, en mai, la commission scolaire administre à toutes les classes de sixième un examen de mathématique dont les résultats servent à déterminer quels élèves pourront passer au secondaire. Pour établir la note qui doit figurer dans le bulletin des élèves, les résultats comptent pour 40 %.

Selon les consignes de la commission scolaire, les questionnaires doivent lui être renvoyés immédiatement après que l'examen a été administré. Pour s'assurer que l'on respecte cette directive, la commission scolaire engage même quelqu'un qui prépare pour chaque école le nombre de questionnaires nécessaire et qui vérifie si on en renvoie autant.

Depuis trois ans, Alain consacre environ deux périodes de 60 minutes à préparer ses élèves à l'examen de mathématique en leur soumettant les questions d'examens antérieurs. Cette année, l'examen de la commission scolaire est justement un de ceux-là. Alain ne s'en rend compte qu'au moment où il distribue les questionnaires, quand un de ses élèves lui lance : « Eh, Alain ! on a déjà fait cet examen. »

Alain hésite un moment, ne sachant trop ce qu'il doit faire. Pour éviter de perturber la classe et aussi pour avoir le temps de réfléchir, il laisse les élèves répondre aux questions de l'examen.

Sitôt la classe terminée, Alain se précipite à votre bureau et vous demande de le conseiller sur la meilleure suite à donner à cette affaire. Que lui conseilleriez-vous ? Sur quels fondements vos conseils s'appuieront-ils ?

Bibliographie

AIRASIAN, P. (1991). *Classroom Assessment,* New York, Mc Graw-Hill.

ALLAL, L. (1983). « Évaluation formative : entre l'intuition et l'instrumentation », *Mesure et évaluation en éducation,* vol. 6, n° 5, p. 37-57.

ALLAL, L., et M. SAADA-ROBERT (1992). *La métacognition : cadre conceptuel pour l'étude des régulations en situation scolaire,* (communication), Université de Genève.

ARCHBALD, D. A. N., F.M. (1992). « Approaches to Assessing Academic Achievement », dans F. N. H. BERLAK, E. ADAMS, D. A. ARCHBALD, T. BURGESS, J. RAVEN et T. A. ROMBERG, *Toward a New Science of Educational Testing and Assessment,* Albany (New York), State University of New York Press.

BALOCHE, L. A. (1998). *The Cooperative Classroom : Empowering Learning,* New Jersey, Prentice-Hall.

BALZER, W. K., M. E. DOHERTY et R. O'CONNOR (1989). « Effects of Cognitive Feed-back on Performance », *Psychological Bulletin,* vol. 106, p. 406-433.

BANDURA, A. (1986). *Social Foundation of Thought and Action : a Social Cognitive Theory,* Englewoods Cliffs, Prentice-Hall.

BARBÈS, P. (1990). « Perspective sur la compétence », *Pédagogie collégiale,* vol. 4, n° 1, p. 8-11.

BARON, J. B. (1991). « Strategies for the Development of Effective Performance Exercices », *Applied Measurement in Education,* n° 4, p. 305-318.

BECK, M. D. (1991). *Authentic Assessment for Large-Scale Accountability Purposes : Balancing the Rhetoric,* communication à la réunion annuelle de l'American Educational Research Association, Chicago.

BENNETT, R.E. (1993). « On the Meaning of Constructed Response », dans R.E. BENNETT et W.C. WARD, *Construction vs Choice in Cognitive Measurement : Issues in Constructed Response, Performance Testing and Portfolio Assessment.*

BERNARD, H., et F. FONTAINE (1982). *Les questions à choix multiple : guide pratique pour la rédaction, l'analyse et la correction,* Montréal, Service pédagogique, Université de Montréal.

BORSWORTH, K., et S. J. HAMILTON (1994). « Collaborative Learning : Underlying Processes and Effective Techniques », *New Directions for Teaching and Learning,* n° 59.

BROFENBRENNER, U. (1976). « The Experimental Ecology of Education », *Educational Researcher,* vol. 5, n° 9, p. 5-15.

— (1977) « Toward an Experimental Ecology of Human Development », *American Psychologist,* vol. 32, n° 7, p. 513-531.

BROOKART, S. M. (1993). « Teachers' Grading Practices : Meaning and Values », *Journal of Educational Measurement,* vol. 30, n° 2, p. 123-142.

BROPHY J.E., et T.L. GOOD (1974). *Teacher-Student Relationships : Causes and Consequences,* New York, Holt, Rinehart and Winston.

BROWN, A. L., et M. S. PALINSCAR (1982). « Inducing Strategic Learning from Texts by Means of Informed, Self-control Training », *Topics in Learning and Learning Disabilities,* vol. 2, p. 1-17.

BUTLER, D. L. (1994). « From learning strategies to strategic learning : Promoting Self-Regulated Learning by Postsecondary Students with Learning Disabilities », *Canadian Journal of Special Education,* vol. 4, p. 69-101.

BUTLER, L. D., et P. H. WINNE (1995). « Feed-back and Self-regulated Learning : a Theoretical Synthesis », *Review of Educational Research,* vol. 65, n° 3, p. 245-281.

CARDINET, J. (1991). *Évaluation scolaire et mesure,* Bruxelles, De Boeck-Wesmael.

CLARK, C.M., et P.L. PETERSON (1986). « Teachers' Thought Processes », dans M.C. WITTROCK, *Handbook of Research on Teaching,* New York, Macmillan.

CRONBACH, L. J. (1975). « Five Decades of Public Controversy Over Mental Testing », *American Psychologist,* vol. 30, p. 1-14.

— (1988). « Five Perspectives on the Validity Argument », *Test Validity,* Hillsdale, Lawrence Erlbaum Associates, p. 3-17.

DÉSILETS, M., et C. BRASSARD (1994). « La notion de compétence revue et corrigée à travers la lunette cognitiviste », *Pédagogie collégiale,* vol. 7, n° 4, p. 7-10.

DOYLE, W. (1983). « Academic work », *Review of Educational Research*, vol. 53, n° 2, p. 159-199.

— (1986) « Classroom organization », dans M.C. WITTROCK, *Handbook of Research on Teaching*, New York, Macmillan.

FREDERIKSEN, N. (1984). « The Real Test Bias : Influence of Testing on Teaching and Learning », *American Psychologist*, vol. 39, n° 3, p. 193-202.

FRISBIE, D. A., et K. K. WALTMAN (1992). « Developing a Personal Grading Plan », *Educational Measurement : Issues and Practices*, vol. 11, n° 3, p. 35-42.

GERLACH, J. M. (1994). « Is This Collaboration ? » dans K. BORSWORTH et S. J. HAMILTON, *Collaborative Learning : Underlying Processes and Effective Techniques*, San Francisco, Jossey-Bass.

GLASER, R. (1994). « Criterion-Referenced Tests : Part 2. Unfinished Business », *Educational Measurement : Issues and Practices*, vol. 13, n° 4, p. 15-18, 27-30.

GLASER, R., et A. J. NITKO (1971). « Measurement in Learning and Instruction », dans R. L. THORNDIKE, *Educational Measurement*, Washington, American Council on Education.

GOODLAD, J. (1983). *A Study of Schooling : Some Findings and Hypotheses*, Phi Delta Kappan, 64, p. 465-470.

GUBA, E. G., et Y. S. LINCOLN (1989). *Fourth Generation Evaluation*, Newbury Park, Sage.

GULLIKSEN, H. (1950). *Theory of Mental Tests*, New York, Wiley.

GUSKEY, T. R. (1994). « Making the Grade : what Benefits Students ? », *Educational Leadership*, vol. 52, n° 2, p. 14-20.

HANEY, W. (1991). « We Must Take Care : Fitting Assessment to Functions », dans V. PERRONE, *Expanding Student Assessment*, Alexandria (Virginie), Association for Supervision and Curriculum Development.

HARRIS, I.B. (1994). « New Expectations for Professional Competence », dans *Educating Professionnals : Responding to New Expectations for Competence and Accountability*, San Francisco, Jossey-Bass.

HART, D. (1994). *Authentic Assessment : A Handbook for Educators*, New York, Addison-Wesley.

HENNING-STOUT, M. (1994). *Responsive Assessment*, San Francisco, Jossey-Bass.

HIVELY, W. (1974). *Domain-Referenced Testing*, Englewood Cliffs (New Jersey), Educational Technology Publications.

JOHNSON, D. W., et R. T. JOHNSON (1987). *Learning Together and Alone*, 2e éd., Englewoods Cliffs (New Jersey), Prentice-Hall.

— (1989). *Cooperation and Competition : Theory and Research*, Edina (Minnesota), Interaction Books.

JOHNSON, D.W., R.T. JOHSON, J.E. HOLUBEC et P. ROY (1984). *Circles of Learning : Cooperation in the Classroom*, Alexandria, Association for Supervision and Curriculum Development.

KAGAN, S. (1989, 1992). *Cooperative Learning*, San Juan Capistrano, Kagan Cooperative Learning.

KULHAVY, R. W., et W. A. STOCK (1989). « Feed-back in Written Instruction : the Place of Response Certitude », *Educational Psychology Review*, vol. 1, p. 279-308.

KUSNICK, E., et M. L. FINLEY (1993). « Student Self-Evaluation : An Introduction and Rationale », dans J. MCGREGOR, *Student Self-evaluation : Fostering Reflective Learning*, San Francisco, Jossey-Bass.

LEGENDRE, R. (1993). *Dictionnaire actuel de l'éducation*, 2e édition, Montréal, Guérin.

LIKERT, R. (1932). « A Technique for the Measurement of Attitude », *Archives of Psychologie*, 140.

LINN, R. (1994). « Performance Assessment : Policy Promises and Technical Measurement Standards », *Educational Researcher*, vol. 23, n° 9, p. 4-14.

LINN, R., E. BAKER et S. DUNBAR (1991). « Complex, Performance-Based Assessment : Expectations and Validation Criteria », *Educational Researcher*, n° 20, p. 15-21.

LOUIS, R. (1990). *Une mesure des croyances des enseignants titulaires à l'égard de l'évaluation des apprentissages*, Thèse de doctorat, Université de Montréal.

LOUIS, R. (1995). « Les facteurs qui influencent l'adoption par les enseignants d'une nouvelle approche pédagogique : le cas de la pédagogie coopérative », *Vie pédagogique,* 96, p. 47-50.

LOUIS, R., F. JUTRAS et H. HENSLER (1996). « Des objectifs aux compétences : implications pour l'évaluation de la formation initiale des maîtres », *Revue canadienne de l'éducation,* vol. 21, n° 4, p. 414-432.

LOUIS, R., et M. TRAHAN (1995). « Une mesure des croyances des enseignants titulaires du primaire relatives à trois approches d'évaluation des apprentissages », *Mesure et évaluation en éducation,* vol. 17, n° 3, p. 61-87.

MARZANO, R. J., D. PICKERING et J. MCTIGHE (1993). *Assessing Student Outcomes : Performance Assessment Using the Dimensions of Learning Model,* Alexandria (Virginie), Association for Supervision and Curriculum Development.

MESSICK, S. (1975). « The Standard Problem : Meaning and Values in Measurement and Evaluation », *American Psychologist,* n° 30, p. 955-966.

— (1989). « Validity », *Educational Measurement,* New York, American Council on Education et Macmillan, p. 13-103.

— (1992). « Validity of Test Interpretation and Use », *Encyclopedia of Educational Research,* 6e éd., New York, Macmillan, p. 1487-1495.

— (1994). « The Interplay of Evidence and Consequences in the Validation of Performance Assessment », *Educational Researcher,* vol. 23, n° 2, p. 13-23.

MILLMAN, J. (1991). « Teacher Licensing and the New Assessment Methodologies », *Applied Measurement in Education,* n° 4, p. 363-370.

MORISSETTE, D. (1984). *La mesure et l'évaluation en enseignement,* Sainte-Foy (Québec), Presses de l'Université Laval.

MOSS, P. A. (1992). « Shifting Conceptions of Validity in Educational Measurement : Implications for Performance Assessment », *Review of Educational Research,* n° 62, p. 229-258.

— (1995). « Themes and Variations in Validity Theory », *Educational Measurement : Issues and Practice,* vol. 14, n° 2, p. 5-13.

NEWMANN, F. M. (1988). « Can Depth Replace Coverage in the High School Curriculum ? », *Phi Delta Kappan,* n° 69, p. 345-348.

NORMAN, J., et M. HARRIS (1981). *The Private Life of the American Teenager,* New York, Rawson, Wade.

OAKES, J. (1985). *Keeping Track : How Schools Structure Inequality,* New Haven, Yale University Press.

ORNSTEIN, A. C. (1994). « Grading Practices and Policies : an Overview and Some Suggestions », *NASSP Bulletin,* vol. 78, n° 559, p. 55-64.

OZAR, D.T. (1994). « Building Awereness of Ethical Standards and Conduct », dans *Educating Professionals : Responding to New Expectations for Competence and Accountability,* San Francisco, Jossey-Bass.

PERRENOUD, P. (1995). « Des savoirs aux compétences : de quoi parle-t-on en parlant de compétences ? », *Pédagogie collégiale,* vol. 9, n° 1, p. 20-24.

PETERSON, S. E., et L. K. SWINDELL (1991). *The Role of Feed-back in Written Instruction : Recent Theoretical Advances,* communication à la réunion annuelle de l'American Educational Research Association, Chicago.

PIAGET, J. (1975). *L'équilibration des structures cognitives,* Paris, Presses Universitaires de France.

PINTRICH, P.R., et B. SCHRAUBEN (1992). « Students' Motivational Beliefs and their Cognitive Engagement in Classroom Academic Tasks », dans SHUNCK, D., et J. MEECE, *Student Perceptions in the Classroom : Causes and Consequences,* Hillsdale, Erlbaum.

PINTRICH, P.R., R.W. MARX et R.A. BOYLE (1993). « Beyond Cold Conceptual change : the Role of Motivational Beliefs and Classroom Contextual Factors in the Process of Conceptual Change », *Review of Educational Research,* vol. 63, n° 2, p. 167-199.

POPHAM, W. J. (1974). « Selecting Objectives and Generating Test Items for Objectives-Based Tests », *Problems in Criterion-Referenced Measurement,* Los Angeles, University of California, Center for Study of Evaluation, p. 13-25.

— (1995). *Classroom Assessment : What Teachers Need to Know,* Boston, Allyon & Bacon.

RECKASE, M. D. (1995). « Portfolio Assessment : a Theoretical Estimate of Score Reliability », *Educational Measurement : Issues and Practices,* vol. 14, n° 1, p. 12-14, 31.

SCALLON, G. (1988). *L'évaluation formative des apprentissages,* tomes 1 et 2, Québec, Presses de l'Université Laval.

SCHAEFER, L., M. RAYMOND et S. A. WHITE (1992). « A Comparison of Two Methods for Structuring Performance Domains », *Applied Measurement in Education,* n° 5, p. 321-335.

SCHÖN, D.A. (1983). *The Reflective Practitioner : How professional Think in Action,* New York, Basic Books.

SCHUNK, D. H. (1982). « Effects of Effort Attributional Feed-back on Children Perceived Self-efficacy and Achievement », *Journal of Educational Psychology,* vol. 74, p. 548-556.

— (1983). « Ability Versus Effort Attributional Feed-back : Differential Effects on Self-efficacy and Achievement », *Journal of Educational Psychology,* vol. 75, p. 848-856.

— (1984). *Self-Efficacy and Classroom Learning,* communication au symposium Motivating Academic Work in Classrooms, New Orleans.

SCHUNK, D. H., et P. D. COX (1986). « Strategy Training and Attributional Feed-back with Learning Disabled Students », *Journal of Educational Psychology,* n° 78, p. 201-209.

SHAVELSON, R., G. BAXTER et J. PINE (1992). « Performance Assessment : Political Rhetoric and Measurement Reality », *Educational Researcher,* vol. 21, n° 4, p. 22-27.

SHEPARD, L. A. (1989). « Why We Need Better Assessments », *Educational Leadership,* vol. 46, n° 7, p. 4-9.

SLAVIN, R. E. (1983). *Cooperative Learning,* New York, Longman.

SMITH, B., et J. MCGREGOR (1992). « What is Collaborative Learning ? » dans A. GOODSELL, M. MAHER et V. TINT, *Collaborative Learning : A Sourcebook for Higher Education,* University Park, National Center on Postsecondary Teaching and Learning Assessment.

SNOW, R.E. (1993). « Construct Validity and Constructed-Response Tests », dans R.E. BENNET, et W.C. WARD, *Construction Versus Choice in Cognitive Measurement : Issues in Constructed Response, Performance Testing and Portfolio Assessment,* Hillsdale, Lawrence Erlbaum Associates.

STIGGINS, R. J. (1994). « Communicating With Report Card Grades », *Student-Centered Classroom Assessment,* New York, Macmillan, p. 363-396.

TARDIF, J. (1992). *Pour un enseignement stratégique : l'apport de la psychologie cognitive,* Montréal, Les Éditions Logiques.

TYLER, R. (1950). *Basic Principles of Curriculum and Instruction,* Chicago, University of Chicago Press.

VIAU, R. (1994). *La motivation en contexte scolaire,* Saint-Laurent, Éditions du Renouveau Pédagogique.

VYGOTSKY, L. S. (1977). *Pensée et langage,* Paris, Éditions Sociales.

WIGGINS, G. (1993). *Assessing Student Performance,* San Francisco, Jossey-Bass.

— (1989). « Teaching to the (Authentic) Task », *Educational Leadership,* vol. 46, n° 7, p. 41-47.

— (1990). « Secure Tests, Insecure Test Takers », *The Prices of Secrecy : The Social, Intellectual and Psychological Costs of Testing in America,* Cambridge, Harvard Graduate School of Education.

— (1991). « Standards, Not Standardization : Evoking Quality of Student Work », *Educational Leadership,* vol. 48, n° 5, p. 18-25.

— (1993). *Assessing Student Performance,* San Francisco, Jossey-Bass.

WODISTSCH, G. A. (1977). « Developing Generic Skills : A Model for Competency-Based General Education », *CUE Project, Occasional Paper Series,* 3.

ZIMMERMAN, B. J. (1990). « Self-regulated Learning and Academic Achievement : the Emergence of a Social Cognitive Perspective », *Educational Psychology Review,* n° 2, p. 173-201.

Index

E

F

G

H

I

J

L

M

O

P